C'est un petit bonheur

Jean-Guy Hamelin
évêque de Rouyn-Noranda

Photographies: Mia et Klaus

C'est un petit bonheur

NOVALIS

C'est un petit bonheur
est publié par Novalis.

Photographies: Mia et Klaus.
Éditique: Suzanne Latourelle.
Couverture: Katherine Sapon.

© Copyright 1996: Novalis, Université Saint-Paul, Ottawa.
Dépôts légaux: 4ᵉ trimestre 1996
Bibliothèque nationale du Canada
Bibliothèque nationale du Québec

Novalis, C.P. 990, Outremont (Québec) H2V 4S7

ISBN: 2-89088-847-9
Imprimé au Canada

Données de catalogage avant publication

Hamelin, Jean-Guy, 1925
    C'est un petit bonheur
    Autobiographie.
    ISBN 2-89088-847-9

    1. Hamelin, Jean-Guy, 1925-   . 2. Vie chrétienne - Auteurs
catholiques. 3. Évêques - Québec (Province) - Rouyn-Noranda
- Biographies. 4. Église catholique - Évêques - Biographies. I.
Titre.

BX4705.H333A3 1996   282'.092   C96-941186-3

NOVALIS

*Je remercie beaucoup Mia et Klaus
d'avoir aimablement voulu illustrer
ces quelques billets.
À travers Mia et Klaus,
je dédie cet ouvrage à toutes les personnes,
jeunes et moins jeunes,
qui sèment de la beauté dans le monde:
elles sont sources de joie et de bonheur.*

Jean-Guy Hamelin

EN GUISE DE LIMINAIRE

Quand, au sens aigu de l'observation se joignent la bienveillance et la mansuétude, il en jaillit des textes comme ceux que nous offre ici Jean-Guy Hamelin. Parfois, on entend son rire sous une petite phrase futée, sans malice aucune, et parfois on croit voir rouler une larme sur sa joue, car il est plein d'amour, à l'image de Celui dont il se réclame. Je dirais même qu'au fil des mots, ici et là, on découvre un cœur si grand ouvert aux déshérités (et ne le sommes-nous pas tous d'une façon ou d'une autre?) qu'on aurait le goût de s'y réfugier pour y trouver réconfort.

Comment ne pas faire entièrement confiance à un homme qui sait rire et pleurer avec nous? Page après page, il décrit la tragédie humaine, lui donne son vrai sens et ouvre toutes grandes les portes de l'espérance. Ses petits coups vers l'avant sont autant de poussées vers le haut et le lecteur est tout heureux de trouver si simple le chemin à suivre vers la béatitude.

Les hindous ont leur dieu-dansant, Shiva; Jean-Guy Hamelin nous révèle un Dieu riant, le nôtre! N'est-il pas merveilleux de penser qu'au-dessus des tristesses de la terre plane cet air de joie divine qui nous invite à l'éternel bonheur?

Mia Matthes

C'est un petit bonheur

Qui n'a pas déjà fredonné la chanson de Félix Leclerc qui parle de ce «petit bonheur» que sur le bord d'un fossé il avait ramassé. Ce «petit bonheur» qui lui a fait oublier ses peines, ses deuils, ses larmes, et qui a complètement changé sa vie.

Ce «petit bonheur», c'est cet enfant émerveillé à qui l'on tend avidement les bras pour le lancer en l'air, le faire danser, partager ses ébats, lui montrer qu'on s'occupe de lui, que les grands ne sont pas trop pressés pour penser à lui.

Ce «petit bonheur», c'est le sourire chaleureux de cette vieille grand-maman, toute ridée, qui n'en finit plus de remercier son petit-fils, maintenant grand garçon, venu meubler son coin de solitude.

Ce «petit bonheur», c'est la joie combien féconde de cette épouse, un tantinet gâtée par son homme qui reconnaît affectueusement les trésors de dévouement et de tendresse de la mère de ses enfants.

Ce «petit bonheur», c'est le regard plein de gratitude de cet appauvri de la vie, avec qui on partage

Le petit bonheur, c'est cet enfant émerveillé.

un peu de son bien-être, sans l'écraser, sans l'humilier.

Ce «petit bonheur», c'est la larme reconnaissante de cette malade, souvent visitée, et qui trouve en notre cœur un endroit où déverser un brin de ses souffrances.

Ce «petit bonheur», c'est toi, c'est moi, pour un autre que nous rencontrons sur les sentiers de la vie et en qui nous n'avons pas peur de semer la joie, le sourire, l'amitié.

Ce «petit bonheur», c'est l'Enfant-Dieu venu apporter aux hommes, aux femmes, un rayon d'espérance. Si nous nous penchions humblement pour le ramasser au bord des sentiers de notre vie et l'amenions chez nous, peut-être y aurait-il plus de soleil dans la maison de notre cœur? Et les froids lambris des murs de notre existence retrouveraient un peu de cette chaleur désirée par tous et par toutes.

Un petit coup en avant, Nicolas

Il m'arrive de jouer au golf. Pas comme les professionnels ou ceux qui rêvent de l'être. Et qui n'affectionnent que les grands parcours, longs, longs, bourrés de trappes, piqués de lacs sournois qui vous ingurgitent les balles à la douzaine et bordés de pièces d'herbe maléfique qui surveillent malicieusement le moindre coup mal ajusté pour avoir le plaisir de vous voir chercher, chercher, avec impatience.

Non. Parfois, après mon travail, en fin d'après-midi, je vole une heure ou deux pour aller m'ébattre sur un simple petit neuf trous avec – selon le langage du milieu – une normale 27. Je roule entre 40 et 50: je m'en satisfais. Mais surtout, je fais de l'exercice en pleine nature, je rencontre des gens charmants. Et, je vous le confie, ça m'aide à garder mon équilibre.

L'autre jour, devant moi, au 5e trou, un homme bien bâti, svelte, sportif, accomplit des prouesses. À ses côtés, un bout d'homme de onze ans, son petit gars. Le père lui fait faire ses premières armes. Avec beaucoup d'amour, ça se voit.

Passant tout près, j'entends: «Un p'tit coup en avant, Nicolas!» Ces mots me rebondissent droit aux oreilles. Ils y résonnent comme une immense leçon de vie que papa vient de donner à son Nicolas. Je souris et j'admire.

Tout au long de son existence, Nicolas ne devra jamais oublier que sur la route de la grande aventure personnelle autant que sur le terrain de golf, il ne s'agit pas de faire de grandes envolées ou de frapper sans arrêt de longs coups. On est assuré de sortir gagnant si, chaque jour, on fait un petit effort, soutenu, toujours en avant.

Un petit coup en avant pour ouvrir la journée. Un petit coup en avant pour se sortir d'une mauvaise ornière. Un petit coup en avant pour aider un autre à suivre, sur la route. Un petit coup en avant, même aux jours de brume. Mais toujours vers le vert de l'accomplissement personnel. Où tous les espoirs sont permis et les records de dépassement à portée de la main. Et du bonheur à plein. Même le bonheur éternel.

«Un p'tit coup en avant, Nicolas!»

Luc et Gerry

Jeune, j'étais sportif. Fervent du hockey et du baseball, j'ai passé de beaux moments de mon adolescence sur la patinoire ou sur le terrain de balle. J'avais même acquis une certaine habileté qui m'avait fait «graduer» dans l'équipe du collège, «le grand club», comme on disait.

Le fait de revêtir la soutane ne m'avait pas enlevé le goût des prouesses acrobatiques. Professeur au séminaire, je m'amusais beaucoup à reprendre le gant et à courir la balle avec les étudiants qui mettaient mon adresse à l'épreuve. Parmi eux, Luc et Gerry: le troisième but et l'arrêt-court du grand club d'alors. Deux bons amis. Gerry, le gai luron, toujours en pirouettes pour attraper les coups difficiles; Luc, une forteresse qui défendait habilement le troisième coussin.

Je devins évêque, je les perdis de vue. Luc était pharmacien. Un jour de vacances dans ma famille, à Trois-Rivières, je l'aperçus derrière le comptoir d'ordonnances d'une pharmacie du centre commercial où j'avais fait mes emplettes.

Il était heureux de me revoir. «L'abbé, savez-vous ce qui est arrivé à Gerry? Il souffre de sclérose en plaques depuis sept ans. Ça lui ferait énormément plaisir si vous alliez le saluer.»

Nous nous mettons d'accord pour le mardi soir. Résolus à ne rester qu'un petit quart d'heure. «Sa femme est timide, m'avait confié Luc. Et recevoir un évêque...»

Le soir dit, je trouve un Gerry en chaise roulante. Avec une jeune épouse, gentille, accueillante, réservée. La famille compte deux belles filles de onze et douze ans.

La conversation s'anime rapidement. Nous ravivons les exploits des jours de collège. Nous rappelons les noms de joyeux copains ou de savants professeurs. Mais bien vite, lui et elle me découvrent leur vie. Je saisis combien ils s'aiment. Elle me raconte comment ils s'épaulent mutuellement dans l'épreuve. Les fins de semaine de pique-nique familial. «Je le prends dans mes bras et l'installe sur le siège de l'auto; les enfants adorent cela», dit la jeune dame.

Le temps file vite, trop vite. Nous avions oublié notre consigne. Déjà, nous bavardons depuis une heure et demie. Un bon pan de la vie du couple heureux y passe.

À un moment, la jeune épouse, son regard dans le mien, me dit: «Monseigneur, vous, vous êtes proche du bon Dieu, vous devriez lui demander...» Elle s'arrête net... «Non, nous ne serions pas plus heureux.»

Dans ma vie, j'ai rarement reçu un tel message sur le vrai bonheur. Je ne l'ai jamais oublié.

Il a tutoyé la mort

Un homme avait été longtemps malade. Chute après chute, rechute après rechute, il allait se promener aux frontières de la mort. Il avait voyagé ainsi pendant de longues semaines. Il avait apprivoisé l'idée de plier bagages pour de bon. «J'ai tutoyé la mort», disait-il après avoir recouvré la santé et repris sa place dans le cortège des vivants.

Comme il me le confiait, la lutte avait été patiente et ardue. Il avait été aidé. Éclairé sans doute, aussi, et appuyé par un Dieu en qui il croyait fermement.

«J'ai tutoyé la mort.» L'expression m'avait frappé. J'enviais presque cet homme qui préparait lucidement son grand passage vers l'au-delà.

La mort est une réalité que personne encore ne peut rejeter du revers de la main. Une réalité qui fait peur et que nous nous efforçons d'oublier. Pourtant, s'il y a une étape de notre existence qu'il faut réussir à tout prix, c'est bien celle-là. L'accepter est déjà un grand pas en avant. Elle est la traversée obligée vers une autre rive. Un point final dans la longue phrase de notre vie. L'accomplissement naturel d'une semence qui a poussé, grandi, produit du fruit et qui,

maintenant libérée de toute entrave et de toute lourdeur, va plonger dans les splendeurs d'un bonheur
éternel.

Pour celui qui a la foi, c'est bien de cela qu'il
s'agit. La vie doit passer par la fracture de la mort afin
d'arriver à son plein épanouissement. À l'image de
tout ce qui dans la nature doit périr pour entrer dans
un ordre plus élevé. Comme l'animal transformé en
l'homme qu'il nourrit. Comme le grain de blé qui
meurt pour grandir en épi et en bon pain.

C'est à tout cela qu'avait pensé notre homme
pour apprivoiser la mort. S'en faire une amie qui lui
donnerait la main au moment de franchir le seuil.
Un seuil mystérieux sans doute, mais plein des promesses les plus belles pour celui qui croit. Un seuil
d'ailleurs au-delà duquel chacun, chacune, doit un
jour poser le pied.

Qu'ils sont heureux ceux qui, aux dernières
heures de leur existence, et même avant, peuvent se
faire une compagne de la mort... et la tutoyer.

J'ai pleuré

Bangkok est une grande ville, polluée, à la circulation infernale. Les gratte-ciel y poussent comme des champignons. Les temples magnifiques y abondent, dans un débordement d'or et de couleurs: de véritables merveilles. Ce soir, au coin d'une grande rue, un bouddha trône au milieu des fleurs, des chandelles et de l'encens. Des jeunes et des moins jeunes s'arrêtent pour prier et présenter des offrandes: colliers, paniers de fruits, petits éléphants, monnaie. Huit jeunes filles chantent et dansent autour de la statue, dans des costumes aux paillettes d'or. Je me retire discrètement dans un coin pour admirer le spectacle. C'est très pieux et recueilli malgré le grouillement de la rue, à côté. Tous les passants saluent à la thaï, en portant les mains jointes au visage.

Et je continue ma promenade. Au hasard d'un escalier, je rencontre une vieille dame. En me retournant, je m'aperçois qu'elle tend la main aux hommes et aux femmes qui passent. Elle s'est un peu éloignée de moi. C'est le 31 octobre: l'anniversaire de ma mère. Elle aurait eu 88 ans aujourd'hui, elle qui est partie pour le ciel il n'y a pas un mois. Cette vieille femme la rappelle à mon souvenir. Je fends la foule et la rattrape alors que, difficilement, elle va monter dans un autobus bondé. «Madame.» Je lui tends un billet de 100 baits, une petite fortune pour elle. Ses yeux brillent et elle me remercie, toute étonnée.

Je reprends la route vers mon hôtel. En pensant à ma mère. À ce soir du 30 septembre où, sa main dans la mienne, elle nous quittait pour l'éternité. Je l'accompagnais durant ses derniers moments: je l'aimais comme je ne l'avais jamais aimée. Je revois, songeur et pensif, ces jours heureux de mon enfance, sous sa protection; les pleurs dans ses yeux quand je quittais le foyer pour le collège; sa joie à mon ordination au sacerdoce et à l'épiscopat. Je me rappelle cette fine répartie, le jour où je lui demandais ce que je pourrais lui offrir comme cadeau à Noël. «Viens plus souvent», me dit-elle.

C'est tout cela qui me passe par la tête et le cœur, en ce jour de l'anniversaire de ma mère.

Et ce soir, dans les rues de Bangkok, j'ai pleuré comme pleurent, partout dans le monde, les enfants qui viennent de perdre leur mère.

De la danse et du tambour
dans Saint-Pierre

Une messe haute en couleurs, il faut le dire. Un moment historique. Un événement unique. Pour l'ouverture du Synode africain, le pape entrait dans la basilique précédé de jeunes filles esquissant des pas de danse. Les chantres, hommes et femmes, rythmaient leur Gloria et leur Credo de mouvements corporels expressifs. La musique était çà et là traversée de cris stridents. Une véritable fête africaine au cœur de Rome. Dans le grand temple du centre de la chrétienté brillant de tous ses feux. Du jamais vu, m'a-t-on dit. Je le crois. Mais quel message! Une jeune Église qui s'affirme. Une Église universelle qui en fait état, qui l'accepte. Et qui s'enrichit d'autant.

Ceux qui entouraient l'autel en ce matin du 10 avril étaient quasi tous noirs. Les taches blanches constituaient l'exception. Je me sentais heureux de remonter la grande allée de la basilique noyé dans cette multitude de frères évêques qui, sans être de la même couleur, partagent avec moi la même foi et la même responsabilité dans l'Église.

Puis le lendemain, toute cette équipe se retrouve dans la salle du Synode pour le début des activités. En allant rejoindre ma place, je croise le Saint-Père et lui donne la main: «Ah! le canadien!» me dit-il, avec un sourire. Puis je déniche des connaissances: Mgr Sarr, de Kaolack, dont le diocèse est jumelé au nôtre, Laurent Monsengwo, l'archevêque zaïrois, un protégé de Mme Caisse, de Rouyn-Noranda, le cardinal Margeot, de l'Île Maurice, beau-frère de l'homme politique canadien Clifford Lincoln; Gianni, de la République centrafricaine, connu au Synode de 1987, Marcello Zago, supérieur général des o.m.i., et bien d'autres. Le rapporteur général des discussions est le cardinal Thiandoum, de Dakar. Nous avons fait nos études en sciences sociales ensemble, dans les années 50. Avant le commencement de la séance, nous évoquons quelques souvenirs «de collège».

Je ne vous assure pas que je retiendrai tous les noms. Il y a Egbulefu, Buetubela, Byabazaire, Etsou-Nabi-Bamumgwabi, etc. J'ai déniché un Jean-Guy: Jean-Guy Rakotondravahatra, évêque à Madagascar. J'ai décidé de mémoriser surtout son prénom, vous comprenez pourquoi.

Tous les pays d'Afrique sont là: 317 participants et participantes dont 244 évêques, 66 auditeurs, auditrices et experts et 7 représentants d'Églises-sœurs. Une partie de la grande mosaïque de l'Église universelle.

*La musique était ça et là traversée de cris stridents.
Une véritable fête africaine.*

En regardant mes arbres

Lors de notre arrivée à l'évêché, il y a de cela déjà près de vingt ans, nous avons planté des arbres. Je les regarde grandir. Ils m'inspirent.

Au début, ils étaient tout petits. À peine une branche fichée en terre, mais nourrie du limon de l'espérance. Car il faut regarder vers l'avenir lorsqu'on veut faire lever une forêt. Même quelques arbrisseaux isolés. Chaque nouveau printemps me montre que l'espérance déçoit rarement, si l'on fait confiance à la nature.

Un vandale en a détruit un, le plus prometteur. Celui qui s'affichait comme le capitaine, trônant fièrement juste au coin, à la rencontre de deux rues. Il n'était pas encore assez fort. Une nuit, quelqu'un l'a sauvagement terrassé en l'attaquant avec un 4 x 4. Le pauvre, il ne s'en est pas remis. J'ai pardonné à ce malin : on l'avait sans doute éduqué à respecter les arbres, mais il ne l'avait pas retenu. Si vous passez par là, vous connaîtrez l'histoire du soldat disparu qui a laissé un trou béant sur la ligne du bataillon : il était le premier au front.

Des jeunes en ont massacré un ou deux. J'avais le choix: laisser jouer les enfants du quartier sur le terrain ou préserver jalousement mon brin de forêt. Mon choix a été vite fait: les jeunes s'amusaient tellement près de chez nous. Il faut bien dire que les rires et les joies des enfants me font plus vivre que la splendeur et la verdure des plantes qui m'entourent.

Enfin, l'un de ces arbres était trop faible; il est mort. Je le voyais s'étioler de saison en saison. Il n'a pas pu se nourrir comme il faut. Le vent, le froid et les tempêtes en ont eu raison. Peut-être, je le confesse, ne l'ai-je pas assez aidé dans sa croissance.

Les autres demeurent. Pièces de la nature et dons du Créateur pour embellir le décor. Un peu d'ombre projetée ici et là. Repos et joie pour le regard de tous ceux et celles qui passent par chez nous. Car les merveilles de la nature sont au service des hommes et des femmes, pour leur donner une parcelle de beauté et de bonheur. Il faut les préserver.

Si tu savais, mon p'tit gars

Il était originaire d'une famille très croyante, modeste. Troisième de cinq enfants, il avait vécu une enfance heureuse. Un excellent père. Une mère admirable qui, dès ses premiers balbutiements, avait mis sur ses lèvres le nom de Jésus. Sans fausse piété, elle l'avait instruit des rudiments de la foi qu'il avait d'ailleurs studieusement complétés et approfondis à l'école, dans les cours d'enseignement religieux.

Tous les dimanches, il se retrouvait à la messe, avec sa famille. Il lui arrivait même de servir à l'autel, avec l'un ou l'autre de ses compagnons. Il le faisait avec attention et même avec une certaine fierté.

Assez tôt dans la vingtaine, il épousa une charmante jeune fille qu'il avait remarquée depuis longtemps. Elle demeurait dans la même rue. Ils formaient un couple uni, exceptionnel. Ils mirent au monde trois beaux enfants à qui ils inculquaient les principes qu'ils avaient eux-mêmes reçus de leurs parents.

Voilà qu'un beau jour, il cessa brusquement de fréquenter l'église. Sa femme n'y comprenait rien. Elle en souffrait, en silence. Elle en voyait bien les conséquences pour les enfants. «Mes affaires me prennent trop, disait-il. Je n'ai pas le temps.»

Les années passèrent. Travailleur acharné et responsable, il réussissait dans ses entreprises.

Les enfants grandirent à leur tour. Ils se marièrent et mirent au monde des petits et des petites qui faisaient la joie de leurs grands-parents. Point n'est besoin de dire qu'ils se retrouvaient chez eux plus souvent qu'à leur tour.

Un malheur survint: la chère compagne de sa vie mourut. Il encaissa le coup, refoulant la douleur au-dedans de lui.

Il vieillit. Personne ne sut pourquoi, mais il reprit le chemin de l'église. Bien plus, chaque jour, il assistait à la messe. Et il affichait sa foi, sans gêne, très simplement.

Un jour, son petit-fils, qu'il aimait particulièrement et qui avait maintenant vingt ans, se promenait avec lui. «Pouvez-vous me dire, grand-père, vous qui avez été loin de la religion si longtemps, pourquoi vous allez à la messe tous les matins?» Le vieux le regarda doucement dans les yeux: «Si tu savais, mon p'tit gars...»

Les prostituées entreront

«Les prostituées entreront avant vous dans le Royaume des cieux», a dit Jésus, en apostrophant d'une manière saisissante les pharisiens qui se croyaient et se disaient les justes, les purs, les vrais de vrais.

Cette parole m'a toujours fait réfléchir. C'est Jésus qui parle. Il sait bien ce qu'il y a au plus profond d'une personne. Ses critères de jugement sont autrement plus solides que les nôtres.

J'ai croisé des prostituées dans les grandes rues de Montréal. Certaines attirent l'attention, d'autres pas. Comme tout le monde, en fait. Mais toutes, sans exception, portent lourdement leur fardeau. Que révèlent les rides souvent précoces qui creusent leurs traits? Et je suis pris de compassion pour elles. Derrière cette femme qui «fait le trottoir» en s'offrant au premier venu, il y a une personne qui souffre. Un être humain comme vous et moi. Parfois, une mère, la mère d'une enfant qui ne saisit rien de la situation. Je me souviens en avoir aperçu une, que je rencontrais chaque jour sur la rue Ste-Catherine. Un soir de veille de Noël, elle tenait par la main une jeune bambine, chez le Dupuis et Frères d'alors. J'en aurais pleuré à voir les yeux innocents de la petite.

Je suis toujours sûr que ces filles, qui exercent «le plus vieux métier du monde», sont des victimes. Victimes de parents qui les ont mal aimées. Victimes d'un entourage qui ne les a pas comprises. Victime d'un système qui ne leur a pas donné de quoi vivre. Victime d'un réseau de racailles qui les exploitent en les terrorisant.

Et nous leur jetterions la pierre? En les jugeant implacablement? En nous disant sans péché? Ne serait-ce pas là le péché le plus grave que de nous croire sans péché? N'y aurait-il pas lieu de faire chacun, chacune d'entre nous, notre propre examen de conscience?

Elles sont terribles, les paroles sorties des lèvres de Jésus en ce midi d'automne, pas loin du Temple de Jérusalem. Bien propres à faire réfléchir les pharisiens que nous sommes.

Une fleur m'a conté son histoire

J'étais fatigué. La journée avait été particulièrement lourde. J'avais besoin de repos, de calme. Je filai tout droit vers le Parc botanique à fleur d'eau.

Je me promenais parmi les plantes de toutes sortes et de toutes couleurs qui s'étalaient le long des allées. Un peu désœuvré.

Au détour d'un sentier, une fleur capta mon regard. Elle était belle. Très belle. Une corolle rouge ornée d'une collerette jaune. Le soir tombait. Une pincée de soleil la caressait tendrement. J'étais ébloui. Je contemplais, muet, cette toute petite merveille. Si belle au milieu de ses compagnes.

Elle voyait bien que je m'intéressais à elle. Elle ne me dit pas son nom. Par humilité, peut-être par pudeur. Elle était si belle.

Soudain, elle se mit à me parler. L'ombre descendait: c'était l'heure des confidences.

Elle me raconta son histoire. Elle me dit qu'une âme généreuse avait voulu faire sa part pour mettre un peu de beauté dans la cité et l'avait léguée à la famille où elle se trouvait.

Au détour d'un sentier, une fleur capta mon regard.

Elle m'affirma, en se pavanant un peu, que des gens venaient de partout – même d'en bas, appuya-t-elle – pour les admirer, elle et ses amies. Au cours de l'été, elle avait essuyé de grands vents, des orages. Elle avait tenu le coup même si, tout près d'elle, un arbre beaucoup plus grand n'avait pas résisté à un après-midi coléreux.

Elle me chuchota, avec tristesse, un fait qui lui avait crevé le cœur. Un mauvais garçon était entré un jour dans le parc avec un 4 x 4 et il avait sauvage-ment fauché deux beaux bouleaux dans la fleur de l'adolescence. «J'en ai pleuré toutes les gouttes de la dernière ondée, dit-elle. Nous nous aimions.»

Tout à coup, le vent aidant sans doute, j'eus l'im-pression qu'elle s'inclinait vers moi pour me confier un secret. Elle me glissa à l'oreille: «Une dame vient souvent ici. Elle nous regarde avec beaucoup d'amour. Elle se penche vers l'une, vers l'autre, elle nous parle. On dirait qu'elle nous a toutes dans son cœur et qu'elle voudrait nous embrasser.» La petite fleur ne put me dire comment on l'appelait.

Je m'informai auprès des autres fleurs plus hau-tes, plus gaillardes, plus bavardes aussi. Elles n'hésitè-rent pas: «Cette grande dame se nomme Julienne.» Elles le savaient.

J'avais saisi la clef de ce mystère de fraîcheur et de beauté qui habite au cœur de Rouyn-Noranda.

Sept chats sur dix

Durant la période des Fêtes, j'ai entendu une nouvelle qui m'a laissé terriblement songeur. On y rapportait que, dans une région du monde que je préfère avoir oubliée, sept chats sur dix avaient reçu des cadeaux à l'occasion de Noël. Et ce n'était pas une farce. On y déclinait même toutes les espèces de présents étalés aux pieds de l'arbre de Noël.

Vous vous imaginez le spectacle. Cette bonne dame ou ce bon monsieur qui descend sur la pointe des pieds pour ménager une surprise au minet. Et les éclats de rire et les ébats chaleureux et les applaudissements et les coups de pattes et les coups de queue... enfin, tout ce qui accompagne une telle cérémonie entre gens bien élevés, sinon de haute société.

J'étais attristé. Je pensais à ces millions d'enfants, à travers le monde, qui n'auront eu pour tout cadeau que les larmes de leur maman démunie. À ces parents brisés par la guerre, à Sarajevo, qui ont tout perdu dans le drame et s'agrippent au strict nécessaire pour survivre. À ces bambins du Rwanda qui n'ont plus ni père ni mère pour les dorloter en ces heures de festivités.

Ma pensée revint vite à ici, chez nous. Qui dira les cœurs gonflés des pères et des mères, et les pleurs non retenus devant un sapin dégarni, pendant que les voisins renvoient à travers le mur peu discret les éclats de leurs rires et de leurs chansons?

Mais j'allais plus loin. Et je me disais: «Se peut-il que nous soyons si oublieux, en ce temps de fraternité et d'amour? Sommes-nous rendus si loin que, dans bien des endroits, les animaux soient plus choyés que les humains?»

Et je me suis promis d'en parler avec les gens d'ici.

Je ne me demande pas
si je suis capable

Quelqu'un me disait un jour: «Quand on me confie une tâche, qu'on requiert de moi un travail, je ne me demande pas si je suis capable, je commence.»

Quelle clef extraordinaire pour remplir sa vie! Comme il y a eu des destins manqués parce qu'on se croyait incapable.

Entre nous, si on nous demande de remplir une fonction, si nous sommes élu pour occuper un poste, si un travail nous est confié, c'est que quelqu'un qui nous connaissait était convaincu de notre capacité. La peur de se tromper, la crainte de ne pas réussir, le spectre de l'insuccès en ont paralysé plus d'un, en ont fait se figer plus d'une. Si les chercheurs n'avaient jamais commencé leur laborieuse marche vers la découverte, jamais nous n'aurions les extraordinaires exploits scientifiques que nous connaissons. Si les ouvriers de la construction ne regardaient que l'humble pierre qu'ils posent à la base d'un gratte-ciel, ils seraient effarés et reprendraient leurs outils. Si nos parents s'étaient dit, en recevant le petit amas de chair que nous formions à l'aurore de notre existence: «Il ne deviendra jamais un homme, une femme», qu'en serait-il de nous?

Dans l'ordre de notre vie spirituelle, il y a aussi souvent matière à nous décourager avant de partir. Pourtant, le Seigneur nous a donné l'essentiel et il nous a dit: «Commence.» Saint Paul nous le rappelle, Dieu ne nous demande rien qui soit au-dessus de nos forces et il nous accompagne toujours de son appui dans les combats de la vie.

Le succès de chacune de nos entreprises, l'accomplissement de notre personne et de notre vie dépendent, j'en suis sûr, de notre décision de commencer, dès que l'appel se fait entendre.

Savez-vous, j'ai presque envie de commencer tout de suite mon prochain billet!

Papa, des amis, j'en ai «en masse»

Je lisais, l'autre jour, une réflexion d'un jeune à son père. «Papa, des amis, j'en ai "en masse", mais un père, je n'en ai qu'un.»

Il y a des pères qui ont démissionné devant leur tâche. Ils s'imaginent qu'en traitant leur enfant comme un simple copain, ils seront ainsi de meilleurs éducateurs. Ce n'est pas si sûr. Bien des enquêtes et des sondages de ces dernières années montrent que les jeunes souffrent beaucoup et en ont assez de ne pas avoir de vrais pères.

Je ne parle pas de ces hommes qui ont mis des enfants au monde et qui n'ont jamais compris qu'ils avaient la responsabilité de les mener sur le chemin de la vie et du bonheur. Ceux-là, la moindre invitation les éloigne de la maison, ils laissent leurs petits s'arranger avec leur mère.

Je fais allusion à ces pères un peu bonasses qui veulent tout donner à leur progéniture. Ils sont bien prêts à conduire leurs enfants au temple du sport, mais bien peu empressés à leur faire découvrir les lieux de culture et de religion. Ils les considèrent comme des amis de tous les jours, mais ils ont abdiqué leur premier devoir: la paternité.

Je sais que certains se sentent démunis. Plusieurs réagissent à une enfance où ils ont été menés à la férule par un père autoritaire. J'en connais des bien nantis qui ne veulent pas que leur rejeton manque de quoi que ce soit. Des faibles qui n'osent pas montrer la voie droite, de crainte de contrarier.

L'enfant ne se remettra jamais de ne pas avoir eu un vrai père qui transmet un héritage de valeurs, qui redresse quand c'est nécessaire, qui pardonne très souvent, qui est ferme à l'occasion, et qui aime beaucoup.

Pourquoi ne pas jeter un coup d'œil vers le Père des cieux?

Mais un père, je n'en n'ai qu'un.

«I am»

C'est le 8 octobre. Le jour de mon anniversaire de naissance. Je ne sais pourquoi, mais ce matin, je me réveille plus tôt que d'habitude. Dans mon lit, je songe.

Ma vie. Une autre étape. Et voilà que me vient à l'esprit ce que l'on répond lorsqu'en anglais on nous pose la question: «How old are you? – I am twenty-five, fourty-six, sixty-seven...» Les premiers mots «I am... Je suis...» me restent accrochés aux oreilles. Hé oui! c'est cela: après tant et tant d'années, je suis devenu et je suis.

Car il est bien vrai que, jour après jour, semaine après semaine, nous devenons ce que nous sommes. À peine sorti du sein de ma mère – on m'a rapporté que j'avais vu le jour la nuit! – j'ai commencé maladroitement à bouger, à balbutier, à m'éveiller à la vie. Et j'ai grandi. Appuyé sur les grands, mes parents et d'autres qui savaient déjà. Puis j'ai volé de mes propres ailes.

Par monts et par vaux, en trébuchant souvent, mais en me relevant toujours, j'ai pris stature d'homme. J'ai assumé des responsabilités, j'ai pris consistance. Au prix de mille et une décisions, j'ai aiguillé ma vie. Je suis devenu ce que je suis. «I am...»

Quelques-uns, quelques-unes, sont plus que ne leur donne leur âge: on dit qu'ils ont mûri vite et n'ont raté aucune occasion de croître, de grandir, de devenir. D'autres sont moins: à l'âge adulte, ils sont encore des adolescents, ils n'ont pas suivi les années.

Une chose est certaine: nous sommes les véritables maîtres d'œuvre de l'édifice grandiose que nous construisons.

«How old are you?» m'a demandé quelqu'un le 8 octobre. Je vous laisse le soin ou le plaisir de deviner ma réponse.

Petit espiègle de Pierrot

Il y a des actes de simplicité qui nous touchent: ceux de personnes haut placées qui prennent les chemins des petits, des humbles, des sans-grade. Il y en a qui nous surprennent: ceux des gens fortunés qui vivent sans éclat et apportent leurs sandwiches dans les pique-niques annuels des œuvres de charité. Il y en a qui nous émeuvent: ceux des vieux grands-parents qui se traînent à genoux, dans la cuisine, avec leur petit-fils sur le dos.

D'autres sont carrément des leçons. D'habitude, ils sont posés par des enfants qui n'ont pas encore appris à mettre des masques, à obscurcir les fenêtres de la transparence, à compliquer les choses, comme le font les adultes.

J'étais en visite pastorale. La directrice de l'école m'avait invité à aller saluer ses marmots de la maternelle. Nous frappons à la porte de la classe: les oiseaux se sont envolés. Nous partons à leur recherche dans la cour de récréation, peine perdue. «J'y pense, me dit Marie-Paule, leur professeure doit leur projeter un film en ce moment.» De fait, nous arrivons à une salle spéciale. Ils sont là. Une bande de bambines et de bambins, assis par terre, dans l'obscurité, les yeux rivés sur l'écran. Les lumières s'allument. La professeure nous salue.

«Mes petits amis, je suis Mgr Hamelin, je m'excuse de vous déranger.» Une répartie sort vivement de la bouche du plus vif d'entre eux: «Si tu nous déranges, tu peux t'en aller.» Grand éclat de rire de ma part! Je ne faisais évidemment pas le poids contre un film d'aventure. Je restai quand même un moment et repassai la porte, au grand soulagement des petits et peut-être de la professeure... une grande personne celle-là!

Le lendemain, je célébrais l'eucharistie dans une communauté religieuse. À l'évangile du jour, par hasard: «Laissez venir à moi les petits enfants.» Mon homélie était toute trouvée: je racontai l'anecdote de la veille. Et j'ajoutai: «Mes sœurs, je suis presque sûr que si j'étais arrivé ici en plein milieu d'une activité importante et que j'avais dit:"J'espère que je ne vous dérange pas", vous auriez répondu en chœur: "Mais non, mais non", alors que...»

Ouvrez l'évangile. Il est écrit quelque part qu'il faut être simple comme la colombe.

Mon petit espiègle de Pierrot, ne va pas vieillir trop tôt!

Ben

Tout le monde l'appelait familièrement Ben. Bernard Hamel de son vrai nom. Frère oblat en service parmi nous depuis trente-cinq ans. Un sourire. Une patience. Une bonté. Une providence soutenue et inlassable pour des centaines de personnes qui auront frappé à sa porte. À la porte d'un cœur toujours ouvert.

Ben est parti comme il avait vécu. Simplement. Sans faire de bruit. Enveloppé dans l'amour du Seigneur, j'en suis sûr. Je suis allé le voir à l'hôpital, dix jours avant son départ. On venait à peine de lui apprendre l'inéluctable : la mort le pressait. Il aurait bientôt à faire le grand voyage. «Il ne reste qu'à prier», me confiait-il.

Je sais qu'il a passé ses derniers jours en compagnie de Jésus. Il s'est endormi à l'heure où un peu partout dans l'univers catholique on priait la Vierge de l'Assomption. Car Ben était un amant de la Vierge. Comme tous ses frères de la congrégation des Oblats de Marie-Immaculée.

Les paroissiens et les paroissiennes de l'Immaculée-Conception regretteront cet homme humble, sympathique et peu compliqué qu'ils rencontraient dans toutes les activités de leur communauté chrétienne. Ils ne verront plus ce gars plein d'humour, aux lèvres moqueuses, qui respirait la sérénité. Les démunis qui tout au long des années ont trouvé près de lui réconfort et appui se souviendront de la patience avec laquelle il les accueillait en toute circonstance. De son dévouement sans borne dans la recherche de solutions à leurs problèmes.

Notre Église de Rouyn-Noranda verra en lui la figure de ce vrai disciple de Jésus qui avait pris au sérieux l'invitation du Maître: «Tout ce que vous aurez fait au plus petit d'entre les miens, c'est à moi que vous l'aurez fait.»

Et ses frères et sœurs dans la foi pourront dire avec encore plus de ferveur: «Saints et saintes de Rouyn-Noranda qui êtes au ciel, priez pour nous.»

Tu sais, *brother...*

Il était bâti comme un chêne. Un vrai monument. Stature d'athlète, épaules carrées, visage de chef, yeux noirs, profonds... Rébarbatif de prime abord, il avait un cœur d'or. Avec un sens de l'humour un peu sec qui désarçonnait ceux qui l'abordaient pour la première fois.

Nous nous étions apprivoisés. Nous étions devenus amis. Lorsque, nouveau secrétaire général des évêques du Québec, je cherchai un gîte à Montréal, je fus accueilli à bras ouverts dans l'équipe qu'il formait avec des confrères, responsables, chacun de son côté, de secteurs importants de la pastorale sociale. Une véritable famille pour moi.

Je vins à Rouyn-Noranda. Il demeurait toujours à Montréal. Avec l'équipe où je retrouvais la même chaleur d'amitié à chacun de mes voyages dans la métropole. Il était de plus en plus pris. Il ne refusait jamais la ligne de front. Nous nous saluions à peine, en fin de journée, quand je passais à la maison.

Depuis longtemps, nous n'avions pas partagé. Un soir, d'un commun accord, nous nous sommes retrouvés en tête à tête, dans un petit restaurant près du métro Laurier. Il était malade, je le savais.

Longuement nous avons jasé. Ressassant de vieux souvenirs. Nous sommes allés beaucoup plus loin que d'habitude. Lui qui se savait en fin de piste, moi en pleine lancée. Les larmes mouillaient mes paupières à écouter certains détails plus personnels.

Puis, le dessert à peine entamé, il me confia, sous la lumière chevrotante d'une petite lampe qui coiffait notre conversation: «Tu sais, *brother* — c'était une de ses expressions familières — je suis "pogné" avec un cancer. J'aurais pu aller finir ça tranquillement dans le Sud — sa vieille tante y avait une maison qui avait toujours été pour lui un havre de repos — j'y ai pensé, mais il n'y a qu'une chose qui compte dans la vie: SERVIR. Et j'ai décidé de servir jusqu'au bout.»

Un long silence: j'avais compris le sens d'une vie.

Un Noël qui chante

On connaît l'expression: «des lendemains qui chantent». On veut signifier l'heureuse issue d'activités qui ont connu des passages difficiles, mais qui ont été porteuses d'espérance. C'est la symphonie que l'on attend d'efforts longuement consentis pour parvenir à des succès que l'on mettait du temps à percevoir.

Noël est arrivé à nos portes. À Noël, on chante. Les ondes de nos radios locales résonnent de mélodies toutes plus harmonieuses les unes que les autres. Et gonflées d'un souffle de bonheur, de joie, d'espérance que l'on ne connaît pas aux autres périodes de l'année. Il faut entrer dans le concert. Essayer de percer le mystère de tant de bonheur. Apporter sa note pour que l'espérance ait des lendemains. Battre la mesure des chœurs plus ou moins bien accordés que forment parfois nos familles.

En ces jours, je vous invite à prêter une oreille plus attentive aux clairs éclats des enfants, ces pousses vivantes qui peuvent faire briller de nouveau les yeux de quelques malheureuses mamans aux amours déçues. Je vous supplie de ne pas vous fermer aux notes parfois discordantes, mais combien suppliantes, de blessés de la vie dont les appels ne reçoivent pas tou-

Je vous souhaite à tous un Noël qui chante!

jours l'écho qu'annonce l'Évangile: «Ce que vous aurez fait à ceux qui ont faim, c'est à moi que vous l'aurez fait.» Ne passez pas distraitement à côté d'une vieille grand-maman, pétrie de sagesse, qui apporte à vos jugements pleins de dureté les bémols que la vie l'a obligée à mettre dans sa propre chanson.

Tous ces chants, toutes ces notes, contiennent des parcelles du grand chant de bonheur et de joie que l'enfant de la crèche est venu apporter sur la terre. Dont les premiers accords ont retenti dans une frileuse nuit de Bethléem et dont les échos se répercutent toujours au cœur de l'humanité. Puissions-nous saisir l'appel! Écouter, attentifs, le message qu'il apporte. Et y ajouter notre voix pour que la chanson soit encore plus belle, l'espérance plus prometteuse et plus complète.

Une université de haut savoir

Au risque de blesser les gens de l'Université du Québec en Abitibi-Témiscamingue et son recteur, je déclare, d'entrée de jeu, qu'il ne sera pas ici question d'eux. Non, je veux parler de l'université de haut savoir que constituent les pauvres dans une société. Ils n'ont pas appris dans les livres, ils ont appris de la vie.

Y a-t-il des personnes plus qualifiées que les pauvres pour apprendre aux autres les problèmes de l'existence? La pauvreté est pour ceux et celles qui la subissent une tragédie quotidienne dont ils ont à vivre tous les détails, qui les affectent dans les moindres fibres de leur être. C'est une réalité cruelle qui met en péril leur dignité d'être humain.

Du haut des tribunes des grandes écoles, sont proclamées statistiques, causes, conséquences du chômage. Mais l'appauvri, le chômeur, vit chaque jour les conséquences de son manque de travail dans son milieu familial, sur sa santé psychologique et sur son style de vie. Il ne lance pas des paroles en l'air lorsqu'il en parle. On devrait l'écouter bien plus que le savant qui vient de terminer une thèse sur le sujet.

Les pauvres vivent des valeurs de solidarité, de prise en charge de leurs besoins, de ceux de leurs enfants, avec des moyens de fortune. Ils s'entraident souvent d'une façon admirable. Ils développent des moyens de subsistance, d'épargne, d'économie qui pourraient inspirer des groupes entiers à organiser leur vie économique. Leurs leçons ne valent-elles pas autant que celles doctement proclamées dans des chaires d'enseignement économique?

Oui, je le dis, la société découvrirait dans les appauvris — j'aime mieux les appeler ainsi car ils sont des victimes du système — une véritable université de haut savoir, si elle voulait les écouter.

Curieux qu'on prête si peu l'oreille à leurs voix. On y trouverait peut-être bien plus de solutions aux problèmes qu'en fouillant dans de gros volumes rédigés par des personnes qui n'ont rien vécu de ce qu'elles écrivent.

Que décidez-vous?

Vous êtes-vous déjà arrêtés à considérer l'importance de vos décisions dans votre vie? On peut dire que ce sont elles qui nous font, qui nous bâtissent. Qui nous ont construits tels que nous sommes. Et qui continueront de nous façonner jusqu'au dernier de nos jours. Il faut dire que nous n'avons pas été créés libres et responsables pour rien. Tellement libres que nous pouvons même décider de nous «défaire». Par petits morceaux. Jusqu'à devenir une loque qui mérite à peine le nom d'homme ou de femme. Nous avons la valeur de nos décisions.

Il y a des décisions qui ont l'air de rien, inoffensives, insignifiantes. Pourtant, à la longue, elles nous donnent des traits, un visage auquel on nous reconnaît. Cette décision de partager avec un copain malade quelques minutes d'un après-midi d'été. Cette décision de renoncer à une partie de golf pour accompagner son petit Jean-Pierre qui trépigne d'aller faire un tour en forêt. Cette décision de supporter patiemment un repas manqué. Ou bien cette décision de ne pas partager quelques dollars avec un indigent. Ou celle de s'entêter dans une chicane parce qu'on veut arracher le morceau. Ou celle d'envoyer une lettre de bêtises à une voisine dont on est jalouse.

D'autres décisions sont plus importantes: elles orientent parfois toute une vie. On choisit un métier, on décide de se marier, de déménager dans une autre région. Ou bien on décide de laisser aller son cœur en infidélité à son époux, de briser toute relation avec son grand garçon qui a fait une gaffe, de détruire méchamment la réputation d'un ami.

Dans les grandes comme dans les petites décisions, c'est un peu de nous-mêmes, quand ce n'est pas tout nous-mêmes, qui grandit ou qui s'abaisse, qui se fait ou se défait.

Nos décisions nous appartiennent. Ce n'est pas les autres qui les prennent pour nous. Et c'est tant mieux. Nous sommes ainsi les maîtres de notre vie. Pour le meilleur et pour le pire. Même pour notre vie éternelle.

C'est à bien y penser. Jour après jour, on pourrait presque dire minute après minute, nous pouvons faire notre choix et décider de grandir ou de rapetisser.

Cela ne se fait pas à la légère: que décidez-vous?

Une voix de baryton

Lors de sa visite à New York, au début d'octobre 1995, Jean-Paul II a célébré la messe à Central Park. Une immense foule de 125 000 personnes avait répondu à l'appel et s'unissait à lui pour l'eucharistie. Malgré un ciel nuageux, l'enthousiasme était au rendez-vous. On aurait dit que la ferveur populaire compensait pour la grisaille du temps.

Je me trouvais sur l'estrade. Juste derrière le Saint-Père. Je regardais avec admiration ces fidèles de tous âges. Je les sentais vibrer. Dans une foi commune à leur Dieu. Fascinés aussi par cette personne unique qui présidait le sacrifice.

C'était la fête du Saint Rosaire. L'évangile rappelait l'annonce faite à Marie qu'elle serait la mère du Sauveur. Le pontife venait de proclamer cette Parole de Dieu et méditait avec le peuple sur le mystère de la naissance de Jésus. Il rappelait l'événement de Bethléem. La nuit de Noël. Les bergers dans les champs.

Tout à coup, il confia: «Je me rappelle un chant que j'avais l'habitude de chanter en Pologne, durant mon enfance, un air que je chante encore maintenant que je suis pape. La nuit de Noël, dans chaque paroisse et dans chaque chapelle, ce chant retentit encore, répétant sur un air de musique l'histoire que rapporte l'Évangile.» Et Jean-Paul II, d'une belle voix de baryton, chanta en polonais: «Dans le silence de la nuit, une voix s'est fait entendre: Debout bergers, Dieu est né pour vous. Allez à Bethléem rencontrer le Seigneur.»

La foule éclata en applaudissements.

Et à la fin de l'homélie — ce qui ne semblait pas avoir été prévu — la chorale entonna le *Holy Night* repris en chœur par 125 000 voix dans une immense prière.

Instants inoubliables...

Les pessimistes ont souvent raison

Le verre à moitié vide du pessimiste et le verre à moitié plein de l'optimiste m'ont toujours poursuivi. Le regard que nous portons sur la vie conditionne tellement notre bonheur. Il nous donne la direction à suivre pour notre action et notre insertion dans la société.

Le contexte social nous marque. Nous sommes mitraillés par les événements. Bien plus, nous en sommes les acteurs. Les femmes et les hommes qui composent un groupe y impriment leurs idées, leurs façons de juger. Ils infléchissent la marche des choses. Ils influencent le climat ambiant. Il y a des pessimistes. Il y a des optimistes. Les pessimistes ont souvent raison. Mais seuls les optimistes changent le cours des choses. Les pessimistes sont portés à dire qu'il n'y a rien à faire. Les optimistes découvrent le petit sentier caché pour parvenir au but. Les pessimistes sont écrasés par la lourdeur des situations inhumaines. Les optimistes sont convaincus qu'améliorer un tout petit peu une toute petite situation malheureuse peut faire grandir le monde. Les pessimistes ne donneraient pas à un organisme qui lutte contre la faim dans le monde: le désastre est trop grand. Les optimistes s'engagent dans *Développement et Paix* et ne croient pas que ce qu'ils partagent est de l'argent jeté dans un lac.

Les pessimistes s'écrasent. Les optimistes rebondissent. Les pessimistes mettent des bâtons dans les roues de l'existence. Les optimistes voient à peine les pierres sur la route et les enjambent avec entrain.

Avec les pessimistes, on chante un *requiem*; chez les optimistes, retentit un air d'*alléluia*.

En un mot, les pessimistes, c'est les ténèbres; les optimistes, c'est le soleil. Le jour et la nuit.

Si vous êtes pessimiste ou de nature ou par habitude, je vous souhaite d'avoir un optimiste pas trop loin dans votre cour.

Quelques kilomètres
dans ses mocassins

«Avant de juger quelqu'un, il faut d'abord marcher quelques kilomètres avec lui dans ses mocassins»: voilà ce que dit un vieux dicton amérindien. Suave. On pourrait aussi bien dire: avant de parler de quelqu'un.

Comme nous avons le jugement facile pour ceux et celles que nous ne connaissons que du dehors, selon les apparences! Il y a des livres entiers écrits sur des étrangers par des personnes dont ils n'ont jamais partagé le destin. Vous savez comment les riches étiquettent facilement les moins favorisés de la société. Les adultes ne sont pas tendres, parfois, avec les jeunes ballottés en tous sens et soumis à la mitraille de tant de courants d'idées. Les peuples de la terre sont loin de toujours accueillir à bras ouverts des immigrés de race et de couleur différentes dont ils ne saisissent pas le comportement. Les bonnes gens mettent au ban de leurs relations un délinquant occasionnel, victime de son milieu. Des gouvernants traitent avec sévérité une pauvre assistée sociale qui a de la peine à joindre les deux bouts pour élever sa marmaille et qui a enfreint un article de la loi. «Il passe son temps à se plaindre», dit un homme dans la force de l'âge d'un malade qui étouffe déjà au fond de lui une grande partie de sa douleur.

Ah! vraiment, ceux-là n'ont jamais mis les pieds dans les mocassins de ceux et de celles qu'ils classent implacablement. Presque toujours injustement.

Il faut avoir partagé le sort des autres, vécu leurs souffrances, avoir été dans les mêmes situations pour pouvoir les comprendre un peu, et peut-être alors les juger. Et encore...

C'est sans doute pour cela que Jésus a chaussé les mocassins des humains et fait des kilomètres avec eux, pendant trente ans, avant de converser avec eux, de parler d'eux. La leçon vient de haut.

Il faut avoir partagé le sort,
vécu les souffrances des autres.

La gaffe d'un apôtre de Jésus

Je lis toujours avec un certain sourire l'histoire de la vocation de saint Barthélémy. Les chemins qui ont conduit chacun des Douze au Seigneur sont bien différents. Tout comme les routes qui mènent les hommes et les femmes d'aujourd'hui vers Dieu. Chaque prêtre a son histoire, chaque religieuse son récit, chaque chrétienne, chaque chrétien sa façon d'être appelé et de répondre.

Toujours est-il que Barthélémy, alias Nathanaël, rencontre un passant qui lui crie: «Tu sais, celui dont parlent Moïse et les prophètes, celui qu'on attend depuis des siècles, le Messie, nous l'avons trouvé! – Es-tu sérieux? – Oui, c'est Jésus, le fils de Joseph, de Nazareth.» Nathanaël jette un regard sceptique avant d'éclater de rire: «Peut-il sortir quelque chose de bon de Nazareth?», lance-t-il.

Quelle gaffe! Nathanaël a dû souvent regretter ses paroles par la suite, surtout quand ses compagnons les lui rappelaient, en le taquinant. Qu'en a pensé Jésus? Le Nazaréen avait le sens de l'humour et il était loin de renier ses origines: il a sans doute ri de bon cœur. Et il ne s'est probablement pas privé, par la suite, à table avec ses amis, de parler de Nazareth, en jetant un coup d'œil narquois du côté de Barthélémy.

«Viens et tu verras», a répondu Philippe. Et Jésus, en apercevant Nathanaël, lui déclare: «Voilà un homme qui ne sait pas mentir. Il dit vrai. C'est un véritable fils d'Israël.» Nathanaël entre dans l'équipe et y demeure jusqu'à la fin. De temps en temps, il passe à Nazareth avec les apôtres. Et il est forcé de reconnaître que quelque chose de bon peut sortir de cette humble bourgade.

Comme nos jugements sont parfois rapides! L'exemple de Barthélémy, parlant de Jésus et de ses origines, devrait nous faire réfléchir.

Dieu a créé les autruches

«Dieu a-t-il le sens de l'humour?» demandait un jour une personne. «Il faut certainement qu'il l'ait pour avoir créé les autruches», répondit quelqu'un.

L'humour est une fleur de choix au jardin de la vie en société. Elle est le fruit d'une intelligence en éveil. Elle révèle un sens aigu de l'autre. Elle est le signe d'une admirable humilité. Celui qui a le sens de l'humour, en général, ne se prend pas pour un autre. Il ne tourne pas au tragique le moindre revers qui lui bondit au nez. Il est capable de rire de lui-même et il s'en amuse follement. Un grain de sel dans les conversations pour contrebalancer les remarques acides, les histoires épicées et les interventions vinaigrées.

Malheureusement, trop de chrétiens et de chrétiennes n'ont pas saisi qu'il y a dans l'humour un condensé de bien des pages d'évangile. Je suis sûr que Jésus devait être un fin humoriste. Imaginez son sourire narquois devant les histoires de pêche de Pierre. Ses réparties pétillantes quand André lui parle d'Hérode, «ce vieux renard». Et ces taquineries malignes lorsque sa parenté laisse courir qu'il a perdu la tête.

Nous avons souvent l'épiderme trop sensible quand on se moque de nous, qu'on nous caricature. Ah! je sais qu'on ne le fait pas toujours avec *une douce méchanceté* et je suis le premier à bondir devant une page vitriolique qui semble n'avoir qu'un but: démolir, avec des arguments et des faits qui sont loin de toujours avoir le goût de la vérité.

Ne nous prenons pas pour des intouchables qui ont tout le bien pour eux: il ne faut tout de même pas nous mettre la tête dans le sable, comme les autruches! Ayons le sens de l'humour!

Si nous cultivons cette vertu, peut-être nous aidera-t-elle à accepter plus facilement Dieu quand il n'exauce pas nos prières comme nous le voudrions.

Ce cher Abraham

Nous revenons souvent à l'Évangile. Avec raison. Nous y trouvons le récit de la vie du Sauveur et ses enseignements.

Mais il ne faudrait pas manquer de remonter dans l'histoire du salut et nous rappeler quelques figures marquantes de l'Ancien Testament. Abraham est l'une de celles-là. Et pas la moindre. On l'appelle le père des croyants. Une histoire absolument renversante. Qui a conduit loin : Abraham est devenu le père d'un grand peuple. Parce qu'il a cru.

C'est Dieu qui l'a choisi. Comme ça. Sans que l'Écriture nous dise pourquoi. Le don de Dieu se présente toujours ainsi : il ne se justifie jamais. Parce que Dieu est Dieu. Au moment de son élection, Abraham est un pur païen, tiré de la multitude des païens d'alors.

Dieu lui demande de partir. De laisser son coin. De rompre avec son milieu, les siens, sa famille. De se mettre en marche. Pour aller où ? Il ne le sait pas. Mais il se laisse guider par Dieu. Un long pèlerinage, jusqu'à sa mort.

Ce premier acte de foi devait être suivi de bien d'autres. «Je ferai de toi le Père d'un grand peuple», lui avait dit Yahvé. Mais Abraham n'a pas de fils. Et il a cent ans. Sa femme en a quatre-vingt dix. Quand Sara apprend la promesse, elle se met à rire. Hé oui! le texte dit bien que l'épouse d'Abraham ne put s'empêcher de rire tellement elle trouvait drôle une telle annonce (Genèse 17, 17). Pourtant, Abraham croit et ne cesse d'espérer. La promesse de Dieu se renouvelle: «Regarde le ciel, essaie de compter les étoiles... telle sera ta postérité.» Et Isaac vint au monde.

Mais ce cher Abraham n'était pas au bout de ses peines. Isaac, l'enfant rêvé de sa vieillesse, Dieu lui demande de le sacrifier. Abraham ne flanche pas. Il a trop confiance en Dieu pour reculer. Et une fois encore son abandon est récompensé.

«Espérant contre toute espérance, écrira saint Paul, Abraham crut et devint ainsi le père d'un grand nombre de peuples selon la parole "Telle sera ta descendance"» (Romains 4, 18).

Il est bon de méditer ainsi, de temps en temps, sur certains épisodes de l'histoire de notre salut. Et de contempler celui qui est appelé à juste titre «le Père de tous les croyants».

Le Paradis, aujourd'hui

«De la santé, du "réussi", du succès dans tes affaires, des bonnes récoltes et le paradis à la fin de tes jours.» Voilà ce que, tout petit, j'entendais au matin du jour de l'An. C'était l'expression fruste d'une foi simple; elle illuminait la vie quotidienne de l'espoir d'un bonheur complet pour plus tard.

Le climat a changé. On parle moins des récoltes. Le Seigneur ne prend plus une aussi large place dans nos vœux. On oublie facilement l'au-delà.

En ce début d'année, je voudrais vous souhaiter: «Le paradis, aujourd'hui!» Car Dieu ne veut pas remplir notre vie seulement après notre mort. Il ne veut pas attendre si longtemps pour que nous soyons heureux, heureuses. C'est aujourd'hui qu'il veut nous combler. C'est aujourd'hui qu'il vit en nous. C'est aujourd'hui qu'il nous baigne de son amour. Et ainsi il nous rend capables d'aimer vraiment. Je vous souhaite ce bonheur, tout au long des 365 jours qui composeront l'année.

Quand on a compris que Dieu n'est qu'amour et donc que notre vie éternelle est une vie d'amour, puisqu'elle est participation à la vie divine; quand on a saisi que cette vie éternelle est déjà commencée, puisque Dieu vit en nous et que nous vivons en Dieu, l'amour devient le souhait le plus vrai qui puisse être fait au seuil d'une année nouvelle. L'amour véritable de ses frères et sœurs. L'amour de son entourage, ses compagnons et compagnes, tous, toutes, sans exception. Un amour assaisonné de beaucoup de pardon. Traversé par des gestes de partage. Imprégné d'une joie contagieuse.

N'est-ce pas là le paradis?

Se dire qu'on s'aime

Un proverbe malgache dit ceci: «Si on s'aime sans se le dire, on perd les deux tiers de son amour.»

On connaît l'importance de l'amour dans une vie. Pas seulement pour un couple. Partout. Il faut que l'amour paraisse. Quelle catastrophe si la jeune maman et le jeune papa ne passaient pas leur temps à combler leurs petits de «je t'aime», «tu es fine», «tu fais un beau sourire». Si l'enfant était sevré trop tôt de tous ces bécots dont je m'émerveille quand je suis dans un foyer où se trouve un jeune bébé, il en souffrirait probablement toute sa vie. Les psychologues le savent d'ailleurs, eux qui analysent le comportement des déviants privés de marques d'amour dans leur enfance.

Mais l'amour devrait-il cesser de se manifester au-delà d'un certain seuil?

Des drames se jouent au sein de certains couples qui s'adorent, mais ne se le disent jamais. C'était l'un des filons exploités jadis par *Marriage Encounter*, avec grands fruits: l'attention à exprimer à l'autre son amour. Ne pas avoir peur de se répéter le «je t'aime» si spontané pendant les premières fréquentations.

Y aurait-il tellement d'inconvénients à ce que nous ne manquions pas l'occasion de dire aux autres que nous les aimons? Ah! je sais bien, vous allez me répondre que ça peut devenir faux, superficiel, même un peu «quétaine». C'est vrai, je l'admets. Mais de là à être continuellement sur ses gardes par gêne, fausse pudeur ou crainte d'être mal interprété, il y a quand même un bon bout de chemin. Il est vrai aussi qu'il y a des sentiments qui n'ont pas besoin de s'exprimer. Ils se sentent. Ils se perçoivent. Ils se touchent presque.

Jésus est revenu si souvent sur l'amour que je suis sûr qu'il ne désavouerait pas les lignes que je viens d'écrire. Il voulait tellement que ses disciples s'aiment les uns les autres et, j'en suis sûr, qu'ils se le disent.

Pourquoi avez-vous peur?

Jésus tombait de fatigue. Il avait parlé toute la journée. Il avait guéri des malades. Une foule de personnes étaient venues, *entre deux instructions*, lui confier le poids de leurs tracas, de leurs peines, de leurs difficultés. Il avait même essuyé les sarcasmes et les questions insidieuses de la petite *gang* envoyée par les pharisiens pour le relancer constamment.

«Allons-nous-en de l'autre côté du lac», cria-t-il à Pierre dont la barque était amarrée au quai. La «brunante» était déjà tombée. Les eaux, paisibles. Le Maître s'assoit au fond de l'embarcation. En moins de cinq minutes, il «cogne des clous». Les apôtres rament, silencieusement. Repassant dans leur tête les événements de la journée. Un peu fiers, d'ailleurs, de ruminer dans leur barbe les fines réparties de leur ami aux propos sarcastiques des gens du Temple. «Il est solide, le Maître. Ce n'est pas pour rien que nous le suivons!»

Tout à coup, contre toute attente, le vent se lève. Les vagues montent. La carcasse du bateau craque. On est loin de la rive. L'angoisse grandit, les cœurs se serrent. Les efforts pour tenir à flot sont vains. On va couler. Affolement. Détresse. Cris. Jésus dort.

Dieu sait si l'Église en a essuyé des tempêtes
au cours des âges!

On le secoue vigoureusement. «Qu'avez-vous?» Il comprend: d'un signe, il calme la mer en furie.

«Hommes de peu de foi, pourquoi craindre? Je suis avec vous.»

Les apôtres sont piteux. Jésus a voulu leur donner une leçon. Et, à travers les Douze, à tous ses futurs disciples. Les fidèles qui monteraient avec lui dans la barque, tout au long de l'histoire.

Dieu sait si l'Église en a essuyé des tempêtes au cours des âges! Elle est encore aujourd'hui rudement ballottée: contestations, persécutions, scandales, abandons, faux disciples, tant de reproches... Jésus semble dormir. Un certain nombre sautent de la barque: ils n'ont plus confiance. Pourtant, le Maître veille: «Ne craignez pas, je suis avec vous jusqu'à la consommation des siècles.»

Don pour don

Au cours de ma vie, j'ai souvent expérimenté les largesses du Seigneur. Il se plaisait à me remettre, parfois dans les jours suivants et souvent avec un intérêt bien au-delà du taux courant, les dons que je faisais à plus pauvre que moi.

Je vous raconte un fait qui m'est arrivé en 1954. Je l'ai encore tout frais en mémoire après plus de quarante ans.

J'étais étudiant à Rome. Un «spécial» des lignes aériennes KLM m'avait fait succomber à la tentation de revenir au Canada pour mes vacances d'été. Sur le trajet, il me fallait passer une nuit à New York. J'avais inscrit à mon programme une soirée au Yankee Stadium. Je brûlais du désir d'aller assister à une partie de baseball des ligues majeures. Et surtout d'admirer les fameux Yankees, les invincibles de l'époque.

Sorti de mon hôtel en direction du métro, je vis, de l'autre côté de la rue, une pauvre vieille qui tendait la main. Je n'y prêtai pas trop attention. C'était un spectacle quotidien à Rome. Une voix frappa à la porte de ma conscience: «Tu te payes du luxe ce soir et elle, elle n'a peut-être pas à manger.» Je marchais.

Droit devant. Le remords l'emporta. Je rebroussai chemin. Traversai la rue en diagonale et mis dans la main de la pauvre femme une petite obole.

Je sautai dans le métro, le cœur un peu plus léger. À la sortie, un homme me glissa à l'oreille: «*Father, are you going to the baseball game?* Monsieur l'abbé, allez-vous au baseball? – Oui, que je lui répondis. – *Do you want to come with me?* Voulez-vous venir avec moi?» J'acceptai tout de go. Il était accompagné de sa femme et de sa petite fille. Je les suivis jusqu'à la loge qu'ils occupaient. La première. La mieux placée. Tout juste à la hauteur du troisième but. Il me traita en prince, tout au long de la partie. Que les Yankees gagnèrent, d'ailleurs. Et, comble du bonheur, l'as lanceur de l'époque, Alan Reynolds, officiait pour les vainqueurs, ce soir-là.

Je revins à mon hôtel complètement ébloui. Coïncidence? Hasard? J'y vis bien plus le geste d'un Seigneur un peu papa-gâteau qui tient les promesses de son Évangile... et qui rend au centuple, même ici-bas, les dons que nous faisons «aux plus petits d'entre les siens».

Des expériences semblables, pas toujours aussi frappantes, se sont répétées plusieurs fois au cours de mon existence. Tellement que je me demande parfois si je ne donne pas parce que je suis sûr que ça va m'être remis dans peu de temps!

Si vous prenez le risque du partage et de la charité, vous avez sans doute vécu de semblables aventures...

Il n'y a pas de choses intéressantes

Je lisais, l'autre jour, une affirmation qui m'a frappé. Elle venait, disait-on, d'un philosophe.

«Il n'y a pas de choses intéressantes, il n'y a que des choses auxquelles on s'intéresse.» Sur le chemin de mes propres réflexions, je me suis dit que c'était bien vrai. La plus minuscule fourmi peut devenir un centre d'intérêt majeur pour un chercheur passionné des mœurs et des coutumes des fourmis... même si moi, je ne me penche pas très souvent quand j'en vois une se faufiler sous mes pas.

Des gens remplissent leur vie avec les événements sportifs de la semaine alors que d'autres s'élèvent contre le temps d'antenne réservé au sport sur nos écrans... surtout aux heures de la coupe Stanley.

La première fois que j'ai pris un repas avec Robert Larouche – c'était au cégep, vers l'année 1975 – j'ai été émerveillé de voir l'intérêt plein d'amour et de tendresse qu'il portait à ses jeunes amis de l'Arche. J'en ai gardé un souvenir ému. Et une leçon pour ma propre gouverne.

Notre vie ne prendrait-elle pas une autre tournure si nous agrandissions le champ de nos intérêts? Il y a autour de nous des personnes qui sont toujours en état d'ouverture d'esprit, en appétit. Elles meublent continuellement leur existence de savoirs nouveaux. Elles s'intéressent à tout.

Et que dire de nos relations humaines? «Un tel n'est pas intéressant!» Nous sommes-nous intéressés à l'écouter? «Une telle n'est pas intéressante!» L'avons-nous fuie lorsqu'elle a voulu nous raconter ses expériences et ses richesses?

Et Dieu lui-même. Nous le trouverions sans doute plus intéressant, si nous nous intéressions plus à lui. Ce ne serait pas banal, croyez-moi.

Un truc du Saint-Esprit

J'ai une foi très profonde en l'Esprit Saint. Vous le savez, depuis vingt ans je célèbre le sacrement de l'Esprit, la confirmation. Ma vie de pasteur en a été marquée. Depuis la Pentecôte, l'Esprit est à l'œuvre dans l'Église. D'une façon active et continue. Parfois d'une manière plus éclatante, qui saute aux yeux.

Cela m'amène à vous raconter un fait historique que je n'ai jamais oublié. Et qui a consolidé ma foi en l'Église.

1952-1955: j'étais étudiant à Rome. En théologie, puis en sciences sociales. J'avais alors une grande admiration pour le substitut à la Secrétairerie d'État, Mgr Giovanni Battista Montini. Un homme dont les écrits me fascinaient. Certaines de ses interventions sur les questions sociales m'éclairaient fortement. Souvent, au Collège canadien où j'habitais avec cinquante autres confrères du pays, le supérieur invitait des gens du Vatican à venir souper. Après le repas, je me retrouvais infailliblement avec Mgr Montini. Je buvais ses paroles. Quand il parlait à quelqu'un, d'ailleurs, on avait l'impression que le reste du monde n'existait pas. Un homme attachant, profond, tout entier donné à Jésus Christ.

Je le voyais – avec bien d'autres de mes amis – comme le successeur de Pie XII, alors sur le siège de Pierre. Mais pour cela, il fallait qu'il devînt cardinal. Au consistoire de 1953, qui avait créé le cardinal Léger, son nom n'était pas sur la liste. Il avait refusé le chapeau cardinalice, disait-on. Vous imaginez ma déception.

En 1954, Pie XII nomme Mgr Montini archevêque de Milan. À son ordination épiscopale par le pape lui-même, j'assistais en fidèle admirateur. Je savais bien que l'archidiocèse de Milan a toujours un cardinal à sa tête. Mgr Montini serait donc bientôt appelé au Sacré Collège. Et, par voie de conséquence, candidat tout désigné à la succession de Pie XII.

Mais les années passèrent. 1954, 1955, 1956, 1957... Le pape ne bougeait pas. Pie XII mourut en 1958. L'archevêque de Milan n'avait pas été fait cardinal. Il ne serait donc pas au conclave. Il ne serait donc pas le prochain pape. Même si son nom circulait parmi les «papables».

Les cardinaux élirent un évêque quasi inconnu: Giuseppe Roncalli, Jean XXIII. Vous connaissez son histoire. Adoré de l'univers catholique, il convoqua le concile Vatican II et fit entrer un rafraîchissant courant d'air dans l'Église.

Cinq ans plus tard, Mgr Montini fut élu pape sous le nom de Paul VI. L'Esprit Saint, déjouant tous les calculs humains, avait voulu qu'il soit précédé par

Jean XXIII.Vous voyez maintenant pourquoi je crois tellement à l'action de l'Esprit dans l'Église. Même, et surtout, dans le choix des successeurs de Pierre.

La lune en plein jour

J'ai vécu plusieurs années avec un ami au cœur inépuisable. Au dévouement sans bornes. Plein d'esprit d'initiative et capable de défoncer les portes pour rendre service. Il ne comptait ni son temps ni son argent pour secourir des miséreux. On pouvait le réveiller en pleine nuit pour un dépannage. Il n'avait jamais l'air d'être dérangé, même si on arrivait inopportunément et qu'il était plongé jusqu'au cou dans ses activités. Et ne refusait jamais de rechercher une solution aux problèmes qu'on mettait sur sa table. Même les plus compliqués.

J'avais l'habitude de dire en parlant de lui: «Robert, il est capable d'aller nous décrocher la lune en plein jour.»

C'est l'une des personnes qui m'ont le plus impressionné au cours de ma vie pour son application concrète de la charité évangélique.

Il faut bien l'avouer: nous mettons souvent des limites à notre charité. Ça va pour le partage, mais à la condition qu'il nous en reste encore abondamment et que nous ne soyons pas trop appauvris. Si nous sommes de garde la journée durant, les importuns qui dérangent nos nuits de sommeil sont loin d'être les bienvenus: il ne faut quand même pas ambitionner! «Je suis prêt à aller jusque-là, mais après, tu te débrouilleras!»

Voilà des réflexions courantes. Elles donnent peut-être la vraie mesure de notre amour. Une mesure qui ne résiste pas pourtant à la confrontation avec l'Évangile qui enseigne que la mesure d'aimer est d'aimer sans mesure. Une mesure qui ne tient pas non plus dans la contemplation d'un Jésus qui a donné sa vie pour le monde. Rien de moins.

Je vous invite à regarder autour de vous. Vous y découvrirez sans doute un Robert. Non pas pour l'exploiter mais pour l'admirer et l'imiter. De temps en temps, glissez-lui un mot gentil pour lui dire que vous l'appréciez. Et qu'il vous stimule à vous dépasser.

Un conte

Les sages transmettent souvent le meilleur de leur enseignement dans des contes. Comme elles étaient fascinantes, les histoires que nous racontaient nos parents, sur leurs genoux, avant de nous porter au lit pour le sommeil de la nuit! Jésus lui-même a assaisonné de paraboles ses longues marches avec les disciples. Elles ont continué de nourrir la méditation et la vie des chrétiens et des chrétiennes de tous les temps. Lorsqu'on puise dans les écrits des sages des siècles passés, on en tire des perles de vérités, cachées dans l'écrin de contes tous plus savoureux les uns que les autres.

J'en ai entendu un lors d'une conférence à laquelle j'assistais dernièrement. Je vous l'offre.

Un vieux maître avait rassemblé autour de lui plus de mille disciples. Il leur livrait le fruit de son expérience. Il les fascinait par la profondeur de ses pensées. Son enseignement les faisait vivre.

Un jour, l'un de ses disciples demanda: «Maître, montre-nous le ciel et l'enfer. – Suis-moi», répondit le maître.

Un vieux maître avait rassemblé
autour de lui plus de mille disciples.
Il leur livrait le fruit de son expérience.

Ils marchèrent longtemps, l'un derrière l'autre. Ils arrivèrent dans une vaste enceinte, peuplée de personnes de tous les âges. L'endroit était rempli de riz en abondance, mais tous mouraient de faim. Chacun avait une palette de dix pieds de long. Il essayait, mais en vain, de porter à sa bouche la nourriture qui l'aurait fait vivre. Une sorte de désespoir les habitait tous.

«Viens maintenant avec moi», dit le Maître. Prenant un autre chemin, ils marchèrent encore. Au bout de quelques heures, ils découvrirent une plaine ensoleillée, baignée de joie et de bonheur. Encore là, beaucoup de riz. Encore là, chacun avait une longue palette. Mais au lieu de se nourrir lui-même, chacun donnait à manger à un autre qui se trouvait à dix pieds de lui. Le partage se faisait dans le calme et la sérénité. Ils étaient remplis d'allégresse.

Cette histoire n'a pas besoin d'explications. Racontez-la à votre petite, en la berçant, avant d'aller la mettre au lit. Elle fera de beaux rêves.

Les petites sœurs

Elles vivent au bout du boulevard du Nord. Le cap sur le lac Osisko. Dans un havre de paix. Les Servantes de Jésus-Marie: on les appelle familièrement «les petites sœurs servantes».

Beaucoup de gens ne perçoivent pas le mystère de leur vocation. Ils ne peuvent admettre qu'une fille, dans la verdeur de sa jeunesse, prenne sa vie, comme ça, tout d'un bloc, et l'offre au Seigneur. Laissant là ses parents, ses biens, ses amours parfois, pour se donner à la contemplation, à une sorte d'immolation qui se situe à plein dans le mystère de la croix de Jésus.

Évidemment, un tel geste ne se comprend que dans la foi. Ne s'accepte que si on a saisi le message de Jésus: «Si tu veux être parfait, va, vends tout ce que tu as, puis viens et suis-moi.» Ou encore: «Vous qui aurez tout laissé, père, mère, frères, sœurs, biens, amis pour me suivre, vous aurez la vie éternelle et de surcroît le bonheur ici-bas.»

Car il ne faut pas croire que «les petites sœurs» soient malheureuses. Il suffit de les côtoyer quelque peu, de partager leur repas, comme je le fais quelquefois, pour être imprégné de la joie qui transpire de leur vie communautaire. Il ne faut pas s'en surprendre. Le monde moderne, qui nous promet tant, nous donne tellement peu. Nous sommes englués dans la fange de nos richesses matérielles. Elles, elles s'en sont défaites pour s'abandonner à leur Père du ciel. Nous courons, insatisfaits, vers des bonheurs qui nous glissent immanquablement entre les doigts. Elles, elles ont mis le cap sur la source de toute beauté, de toute vérité, de toute bonté. Elles y puisent leur sérénité et leur joie.

Une joie et une confiance qui sont d'ailleurs communicatives. On ne saurait croire le nombre de citoyens et de citoyennes de la ville et de la région qui vont frapper à leur porte. Pour leur dire leurs peines et leurs préoccupations. Pour mettre dans les mains de leurs prières les lourdes intentions qui leur appesantissent le cœur.

Au sein de notre Église, elles sont des âmes priantes et contemplatives. Sur la montagne, à l'instar de Moïse, elles se tiennent continuellement les bras levés vers le ciel, pour vous, pour moi, pour tous ceux et celles qui en ont besoin.

Elles méritent toute notre affection et notre reconnaissance.

Pourquoi prier
puisque j'ai tant pleuré!

Dimanche après-midi. Il pleut à Rome. Je ramasse mes souvenirs de la semaine, passée en Croatie et en Bosnie-Herzégovine. Resurgit à ma mémoire cette rencontre dans un camp de réfugiés. J'étais avec l'évêque auxiliaire de Split. Nous parlions avec deux vieilles dames. De noir vêtues. Mon compagnon leur demande: «Avez-vous prié aujourd'hui?» Et l'une de lui répondre: «Pourquoi prier puisque j'ai tant pleuré, ce matin.»

Quel drame j'ai touché du doigt durant ces cinq journées! J'ai parcouru plus de mille kilomètres. J'ai traversé des villages dont il ne reste aucune maison debout. L'église a été rasée. Les habitants ont fui. J'ai constaté l'horreur d'hôpitaux bombardés d'une façon sauvage, sans pitié pour les pauvres malades. On m'a montré des trous béants, un peu partout dans une cathédrale. Des murs criblés de balles. On m'a raconté la mort de ce bambin de dix ans, fauché par une grenade, dans ce petit bourg situé aux confins de la ligne des hostilités où je prenais mon souper. On m'a rapporté des chiffres révélant des paroisses vidées de leurs fidèles, fuyant devant les attaques et les menaces.

J'ai pris le café avec des réfugiés qui rêvent de leur patelin perdu, de leur coin de jardin disparu, de leur maison détruite. Ils voudraient quand même retourner chez eux. Dans une église blessée de partout à coups d'éclats de bombes, une quinzaine de grand-mamans priaient, rosaire à la main. Elles étaient revenues. «Vous souffrez», leur dis-je. La réponse a jailli du fond du cœur: «Au moins, nous sommes chez nous.»

Oui, quel drame. Une guerre entre des gens qui, hier encore, buvaient un verre ensemble ou fumaient une pipe au restaurant de la place. Comment comprendre? «Avez-vous de la haine? – Non, de l'aversion.» Mais de l'aversion à la haine, il n'y a qu'un pas.

La plaie est béante. Elle est vive. Elle risque d'être profonde.

Dans le petit village de Vidowice, en Bosnie, la place s'est vidée: deux mille cinq cents personnes se sont exilées. Désolation complète. Rien ne reste ou à peu près. Pourtant, deux cent cinquante villageois ont repris le chemin de chez eux. Ils vivent parmi les décombres, sous des toits de fortune.

Trois nouveaux prêtres, des leurs, seront ordonnés dans leur paroisse, cette année. Première messe: le treize du mois d'août. Je suis invité.

On vend des armes
à nos bandits politiques

Pendant tout le mois d'avril, j'ai entendu bien des choses dans les interventions des pasteurs africains, au Synode, à Rome. Dans mes contacts personnels avec l'un ou l'autre de mes compagnons d'atelier ou de pause-café aussi. Une vraie leçon. Certes, j'avais lu les durs jugements portés par des auteurs africains. Mais ici, la vérité prenait la figure d'un frère évêque qui l'exprimait avec toute la franchise dont il était capable.

Comme les Blancs ont été inconscients... et le sont encore! Avec un évident complexe de supériorité, ils ont exporté au Sud des modes de vie, une «civilisation» qu'ils considéraient supérieure. Les missionnaires eux-mêmes ont parfois été les complices de cette manœuvre. Ils ont considéré les hommages aux ancêtres comme des actes de sorcellerie. Alors qu'ils n'étaient rien d'autre que l'expression profonde des sentiments filiaux du peuple.

«On vend des armes à nos bandits politiques qui suscitent des guerres fratricides et meurtrières. Ensuite, on nous envoie des sacs de farine pour empêcher les survivants de mourir.» Une exclamation entendue dans la grande salle du Synode. Le commerce des fusils et des mitrailleuses est lucratif: l'Afrique ne produit pas de canons et de chars d'assaut. Les riches trafiquants du monde occidental y trouvent un terrain propice à leurs combines... avec la complicité des dirigeants des deux côtés de la planète. Ensuite, on vient dire qu'il est impossible d'empêcher les guerres!

La presse internationale, d'origine occidentale, est loin d'être tendre pour les Africains. «On nous fait passer pour des rebuts de société, un monde déclassé, sans valeur, qui ne mérite pas qu'on s'occupe de lui», me disaient mes frères évêques africains. Pourtant, comme j'ai vu, entendu, vécu de belles choses avec eux!

Il faut ouvrir notre oreille et notre cœur au monde de l'Afrique.

Sève de vie

Chaque matin, après avoir célébré l'eucharistie et pris mon déjeuner, je vais faire une première provision d'air frais pour la journée. Je me promène sur l'aire de stationnement, derrière l'évêché, en égrenant mon chapelet. Le soleil pointe lentement au-dessus du collège. La vie reprend. Une autre journée dans l'activité des hommes et des femmes d'ici. Je savoure goutte à goutte ces minutes de recommencement.

Au bout de mon chemin, à la lisière de la cour, les étudiants et les étudiantes du cégep qui retournent à leurs pupitres et à leurs livres. Les uns, les yeux encore bouffis de sommeil, marchent d'un pas lent. D'autres, déjà fringants, enjambent allègrement le ruisseau qui coule près de la clôture. Un gars et une fille se tiennent par la main: ils réchauffent de leurs amours naissantes les heures plus arides des études.

En septembre, bien peu me saluaient. On s'est apprivoisés. Quelque jeune adolescente n'ose pas encore lever les yeux: quel est cet homme au crâne dénudé qui semble plongé dans les avenues de ses pensées? Si c'était l'évêque... comment oser lui sourire? Mais quand arrive la fin de saison, toutes les barrières sont tombées. Et c'est une des belles joies de mes débuts de journées que de croiser les regards clairs et joyeux de ces jeunes, pleins de vie. Quel bonheur de les entendre me dire «bonjour» et moi de leur souhaiter une heureuse journée.

Au-delà de tout cela, je vois cette relève qui passe par les mêmes chemins que moi à seize, dix-sept, dix-huit ans. Ils ont toute la vie devant eux, alors que moi j'ai fait une bonne partie de mon tour de piste.

Et sereinement je continue à réciter mes *Ave* pour mes jeunes frères et sœurs qui foulent le même pavé que moi, à l'aurore de leur grande aventure.

Il élira le prochain pape

Il s'appelle Jean-Claude Turcotte. C'est le nouveau cardinal de Montréal. Ce matin, avec 29 confrères venus de 24 nations différentes, il a reçu de Jean-Paul II la dignité qui en fait l'un des conseillers privilégiés du pape. Il est très jeune. Dans la longue énumération des quelque 160 prélats qui font partie du même collège, il se situe le quatrième au bas de la liste.

Je me trouve dans la grande salle Paul VI, remplie à craquer. Toute une atmosphère! J'y représente la Conférence des évêques du Canada. Le pape s'avance. Lentement. Sa dernière chute lui a laissé une difficulté de marcher qui n'enlève rien cependant à son énergie. Une chose me frappe à mesure que progresse la cérémonie: une singulière unité à travers la diversité. Il y a des hommes de toutes les couleurs. Il y a des pasteurs d'Églises bien particulières.

Et l'on sent une sympathie non contenue lorsque les noms d'évêques qui ont souffert, qui se battent encore au milieu de la tempête, retentissent sous les voûtes de la salle. Huit mille personnes vibrent. Pham Dinh Tung au Viêt-nam; Ortega à Cuba; Sfeir au Liban. Les applaudissements éclatent, et longuement, lorsque le Saint-Père annonce: «MgrVinko Puljic, de Sarajevo». Quelle expérience de l'Église de Jésus Christ! «Les Églises qui souffrent sont un signe d'espérance pour nous tous», a souligné Jean-Paul II, au cours de son homélie.

Lorsque j'ai vu Mgr Turcotte aller donner l'accolade à tous les membres du Sacré Collège, après avoir renouvelé sa profession de foi et reçu la barrette rouge, je me suis dit: «Il se passe quelque chose de spécial pour l'Église canadienne.»

Jean-Claude Turcotte est un ami. Nous avons habité tous les deux la maison Léon XIII, à Montréal. Nous collaborons ensemble au sein de l'Église du Québec et de l'Église canadienne. J'étais heureux de lui apporter, ce matin, dans la salle Paul VI, le témoignage de l'amitié de l'évêque de Rouyn-Noranda et de l'admiration de tous ses fidèles.

Joseph, 3 ans

Je suis à la Caisse populaire. J'attends pour faire mon dépôt. Tout près de moi, avec sa mère, un petit chef-d'œuvre d'enfant. Lunettes fumées. Bien campé. Sûr de lui. Une binette un peu moqueuse. L'allure d'un homme d'affaires. J'engage la conversation. D'égal à égal: je le sens bien.

«Comment te nommes-tu? – Joseph. – Ton âge?» Il me montre ses doigts: trois ans. «Tu viens porter ton argent?» Et, sans que je m'y attende, il me lance avec désinvolture, au grand amusement de sa jeune maman: «Ma mère est bonne; toi, t'es pas bon.» Bang! Voilà un jugement que j'ai bien compris, et que j'ai d'ailleurs accepté avec humilité.

Sa mère avait terminé ses opérations bancaires. Elle avait tout accompli en bon ordre. Le jeune l'avait suivie avec attention. Personne au monde ne pouvait faire mieux qu'elle. Personne ne peut être meilleur que ses parents quand on vient à peine de commencer à marcher. Une source de légitime fierté pour les parents, mais aussi une énorme responsabilité. Quelle extraordinaire leçon! À la frange de ses premières connaissances, l'enfant a besoin d'une confiance sans bornes. Vous imaginez les dégâts s'il fallait qu'à trois ans l'enfant commence de longues dissertations

Ils savent faire la juste part des choses.

philosophiques sur les dires de son père ou de sa mère. Dieu fait bien ce qu'il fait.

J'ai jasé longuement avec Joseph. De choses et d'autres. Il me répondait toujours avec une intelligence renversante. «Il est brillant, votre petit, madame. – Ah! vous savez, quand c'est le sien!» L'autre côté de la médaille. «Quand c'est le sien!» Elle était sans doute heureuse de mon jugement, plus heureuse encore de dire que c'était son petit. Tout ce qu'il faut pour opérer le lancement sur la grande route de l'éducation: la meilleure des mères, le plus intelligent des enfants.

Puis-je vous confier que Joseph n'était pas le moindrement du monde impressionné par l'évêque que j'étais: lui, il savait faire la juste part des choses!

Un Jean-Paul II taquin

À l'occasion du consistoire, le pape a tenu à rencontrer toutes les délégations qui accompagnaient les nouveaux cardinaux. Je ne sais vraiment pas où il prend toute son énergie! Le samedi avait été exténuant, la célébration du dimanche matin, dans la basilique Saint-Pierre, avait duré deux heures et demie.

Donc, le lundi et le mardi suivants, il recevait les parents et les amis venus des cinq continents pour accompagner *leur* cardinal.

Vers midi, le mardi matin, les gens de Montréal et d'ailleurs au Québec se retrouvèrent rassemblés avec Mgr Turcotte dans une de ces belles salles, dont la décoration constitue le charme des appartements multicentenaires du Vatican. À titre de président, j'y représentais les évêques du Canada.

La très grande partie des assistants côtoyait le Saint-Père pour la première fois. La nervosité était palpable. La famille de Mgr Turcotte, dont sa vieille mère, était présente. Le pape apparut. Après avoir serré la main du nouveau cardinal, il eut des mots pleins de tendresse pour la maman. Puis il passa lentement, très lentement, à chacun et à chacune. Ce n'était pas ma première expérience, mais j'ai rarement senti autant de chaleur dans une telle circonstance. Il faut dire que la simplicité et la fraternité communicative de Jean-Claude Turcotte y étaient pour quelque chose.

Au moment de prendre la photo, le maître de cérémonie – protocole oblige – me demanda d'aller me placer au centre du groupe, à côté du pape. Ce dernier terminait son tour des invités. Je refusai en disant: «Aujourd'hui, c'est la maman qui doit être à côté du pape.» Je me glissai sagement, au bout de la ligne, à droite.

Lorsque le Saint-Père vint prendre sa place au centre du groupe, il m'aperçut. Il dit finement: «Le Président... à droite... à l'extrême-droite.»

Une taquinerie!

Ça n'abîme pas l'estomac

«En ravalant des paroles méchantes, a dit Churchill, un jour, personne ne s'est jamais abîmé l'estomac.» Il faut que ce fin mot du grand homme d'État recelle beaucoup de vérité pour qu'il ait traversé les années et serve à notre réflexion d'aujourd'hui.

Comme elle est grande, la tentation de laisser se répandre le venin d'un langage cruel à l'adresse d'une personne que l'on n'aime pas ou qui nous tombe sur les nerfs!

Il y a le plat de bêtises, savamment préparé, qu'on lance à la face de quelqu'un qu'on attendait depuis longtemps, au coin de sa route.

Il y a les insinuations caustiques, vénéneuses, semées au hasard d'une conversation, qui empoisonnent l'atmosphère et rendent tout le monde mal à l'aise.

Il y a les accents malheureux qu'on n'a pas retenus, au feu d'une chaude conversation.

Il y a les faussetés conscientes que l'on assène à un interlocuteur sur le point de nous convaincre, alors qu'on voulait absolument avoir raison.

Il y a les sombres rumeurs qu'on fait courir sur un adversaire politique qui ne s'en relèvera pas.

Il y a les accusations troubles lancées contre quelqu'un qui ne pourra réparer les dégâts causés par la diffusion des médias.

Il y a tous ces jugements méprisants portés par les puissants, les forts, les riches, sur les petits, les faibles, les démunis, les sans-défense, ceux-là même dont Jésus a voulu faire ses amis.

Ah oui! vraiment, ces paroles méchantes, aucune personne ne s'est jamais abîmé l'estomac en les ravalant. Et si elle le fait, elle aide sûrement tout le monde à mieux digérer.

Les qualités de ses défauts

Un principe peut nous aider réellement à supporter les autres et même nous ouvrir la voie d'une appréciation souvent très positive: nous avons les qualités de nos défauts et, avouons-le aussi, les défauts de nos qualités.

Voyez, par exemple, les «lents» et les «rapides». Les premiers partent à cinq heures et cinq pour l'autobus de cinq heures; les seconds, pour le même voyage, sont déjà assis sur leurs bagages à quatre heures et demie. Vous bouillonnez bien fort au-dedans pendant que vous attendez les premiers à un rendez-vous, mais vous êtes tout heureux de les voir autour d'une table de réunion: leurs interventions sont posées, réfléchies, pleines de gros bon sens et des plus utiles pour prendre une décision durable. Vous avez fait une crise, l'autre jour, lorsqu'un «rapide» est entré en trombe dans votre cour: il a failli écraser votre chien, le trésor de votre vie. Mais il n'a pas pris grand temps à se mettre à la tâche pour réaliser le travail que vous lui aviez confié. Le soir même, il vous téléphonait pour vous dire ses plans. Le lendemain, des collaboratrices et collaborateurs étaient réunis. Et trois jours plus tard – vous lui en aviez donné six – la tâche était accomplie, les documents achevés: ils aboutissaient sur votre bureau.

Qui dira après cela que nous n'avons pas les qualités de nos défauts? Les autres aussi. Et les personnes qui semblent avoir les plus grands défauts — des personnalités très riches souvent — sont ornées de qualités correspondantes à découvrir. Pour apaiser notre bile peut-être, mais surtout pour en profiter. C'est un beau défi de la vie en société.

Fantaisies sur glace

Deux mars. Jeudi. Sept heures. J'y étais allé dimanche soir, mais je ne puis résister à la tentation d'y retourner.

Vous l'avez deviné, les jambes me démangent d'aller faire une balade sur le lac Osisko. Me tremper les pieds dans l'atmosphère de la fête d'hiver.

Ce soir, il fait un temps splendide. Un peu sec. Le ciel nous a gâtés tout au long de la semaine.

Je me glisse furtivement sur la glace. Ça me rappelle mes jeunes années, alors que je prenais mes ébats sur la rivière de mon patelin. Mes premiers coups de patin. Au détour de ma marche, Cédric me prête son hockey. Je le mystifie par mes acrobaties de vétéran. Plus loin, c'est la minuscule Geneviève, chancelante sur ses jambes fragiles, à qui son colosse de père vient de montrer délicatement le coup de départ. Au sommet d'une petite côte, Audrey se recroqueville près de son papa avec qui elle va descendre jusqu'en bas en criant de joie.

Le soir est merveilleux. Le ciel est bleu, bleu... Quelques étoiles perdues. Un quartier de lune assis paresseusement sur le toit de l'hôpital. L'une des cheminées de la mine, comme toujours, fait son clin d'œil à la ville. L'autre ramasse sa fumée comme une chevelure en broussaille, sur une tête haut campée.

Une ribambelle de lumières ceinture le lac. Et la musique enveloppe dans ses notes dansantes les patineuses et les patineurs du soir, venus se reposer du labeur du jour.

Je grimpe là-haut. Je vais une autre fois admirer les chefs-d'œuvre ciselés dans la neige durcie. Une réussite, cette année! Plus que dans les années passées, il me semble. Je contemple longtemps *l'homme voilé*. Quelle grâce se dégage de ce léger manteau dont les pans semblent soutenus par le vent!

Sur le chemin du retour, je me dis qu'il fait bon vivre dans une ville comme la nôtre où chacun, chacune met la main à la pâte pour semer quelques graines de joie et faire résonner la mélodie du bonheur au creux de notre hiver de froidure.

Les vacances de la tolérance

L'ONU a déclaré 1995 année de la tolérance. Il y a de quoi! L'intolérance fleurit sur les routes du monde. Elle engendre les guerres et les mille et un petits accrochages qui rendent la vie *intolérable*, en certains milieux. On ne tolère pas que les autres ne pensent pas comme soi. On ne tolère pas qu'une dame ait sa façon de promener son chien. On ne tolère pas que les enfants du voisinage crient un peu fort, à l'occasion. On ne tolère pas les jeunes, les vieux, les Noirs, les Blancs, les Jaunes. Et que dire de l'intolérance religieuse? Bref, on est intolérant.

L'été est une oasis au cœur des douze mois de l'année. Beaucoup de gens en profitent pour prendre des vacances, bien méritées d'ailleurs. La fatigue et le stress s'envolent, petit à petit. Les nerfs sont moins à fleur de peau. Un climat propice, à coup sûr, pour être plus tolérant. Ou pour être tolérant tout court. Je vous propose d'en faire un temps fort pour donner des suites à la résolution de l'ONU. Ces grandes propositions des hautes tribunes internationales ne signifient rien, si leur application ne commence pas à la maison, autour de soi, même en-dedans de soi.

Un grand nombre en profite
pour prendre des vacances.

Mais je dois vous faire une confidence. Depuis longtemps, je parle très peu de tolérance. J'ai fait exception aujourd'hui pour les besoins de la cause. C'est que pour moi, voyez-vous, tolérer un autre, c'est me considérer supérieur à lui. Si je tolère son comportement, c'est que je suis sûr que le mien est meilleur que le sien. Si je tolère ses idées, c'est que je peux affirmer dur comme fer que ce qu'il dit n'a pas de bon sens. Alors que...

Vous comprenez maintenant? Je parle beaucoup plus de compréhension que de tolérance. Pensez-y, vous allez voir que cela change complètement la façon de voir les choses.

Ce n'était pas un homme, c'était un cœur

Ce n'était pas un homme, c'était un cœur. Il avait eu une carrière bien remplie, au service des jeunes. Dans l'éducation. Prêtre pieux, compréhensif, donné, il aimait ses élèves au point de s'oublier lui-même. Les jeunes le lui rendaient bien.

Il m'avait aidé à démêler l'écheveau un peu désordonné de mes rêves d'adolescent. Disciple de Baden-Powell, tout l'été, il vivait à fond l'aventure scoute avec les campeurs, petits et grands, qui gambadaient dans les forêts sapineuses ou sur les bords des lacs de la Mauricie. Je l'avais choisi comme «pilote» spirituel. À travers les pages d'évangile qui sillonnaient nos colloques, il y avait toujours quelques éclairs de la loi scoute pour me rappeler la promesse que j'avais prononcée, auprès du feu, sur les bords du St-Maurice, un soir de juillet criblé d'étoiles.

En 1973, lorsque je fus nommé évêque, le nonce apostolique me demanda de fixer le moment où la nouvelle serait rendue publique. La fête de ce vieux prêtre, maintenant retiré, approchait: je choisis ce jour-là. Ce serait mon cadeau personnel.

Chaque année, durant mes vacances, je me faisais un devoir et un plaisir de l'inviter dans un restaurant de sa ville. À table avec moi, il passait ses souvenirs au peigne de l'amitié. Il secouait la braise de ses vieilles relations, me parlait avec ferveur des aventures, toutes plus pittoresques les unes que les autres, vécues avec telle ou telle patrouille d'adolescents des jours d'antan. Immanquablement, revenaient à son esprit les noms des anciens élèves qui maintenant s'illustraient au ciel de la vie de la société et de l'Église. Il en était fier, heureux.

Il mourut subitement, simplement, dans sa chaise, à la fin d'une journée. Son exécuteur testamentaire trouva devant lui, sur son bureau, ma photo. Il m'appela.

Devant sa tombe, je me disais: «Qu'ils sont heureux ceux qui, comme lui, ont aidé des jeunes à grandir et à s'accomplir. Surtout lorsqu'ils l'ont fait avec leur cœur. Ils ont bien mérité la tendresse du Seigneur.»

Des miettes de vérité

Il faut s'efforcer de dénicher les petits bouts de vérité partout où ils se trouvent. L'Esprit est à l'œuvre, même là où noirceur et malice semblent régner. Il y a des gens qui se font une vocation de dénoncer les moindres accrocs à l'orthodoxie. Accrocs qui, d'ailleurs, n'en sont pas nécessairement, sinon dans la lorgnette de leur jugement. Parfois un peu étroit, reconnaissons-le.

Les évêques sont les cibles favorites de ces gens. Je ne vous surprendrai certainement pas si je vous dis que je reçois, de temps en temps, des lettres rédigées dans cet esprit, qui tirent dans cette direction. Elle sont peut-être utiles... mais elles révèlent une compréhension un peu discutable de l'Évangile.

Il faut pouvoir déguster, sinon savourer et certainement aimer les moindres parcelles de vrai et de beau partout où elles se trouvent. Au lieu de s'acharner à détecter toutes les poussières accrochées à la pensée et à l'action d'une personne.

Cette attitude exige un grand fond de bienveillance. Un regard purifié dès le début. Une âme ouverte à tous les «courants d'air» de l'Esprit. Une confiance initiale sans laquelle il n'y a pas de relation possible. Allez demander à la mère d'un bandit s'il n'y a vraiment rien de valable dans son fils. Elle vous dira tout de go comment son enfant a bon cœur. Comment les circonstances l'ont desservi. Elle vous relatera mille et une anecdotes à l'appui de ses dires. Et tout en condamnant certains de ses gestes, elle verra surtout le bon côté de son grand garçon. C'est son enfant. Cet amour la fait vivre.

Les vrais amants de la vérité ne s'extasient pas devant elle seulement quand elle brille de tous ses feux. Ils en cherchent toutes les miettes, ils en contemplent les moindres fragments, même quand ils sont cachés sous un amas d'ordures. Un exemple à suivre! Un filon à explorer, si l'on a tendance à avoir la vue un peu courte en ce domaine.

La fille aux longs cheveux

Il se nommait Simon. Pharisien, il faisait partie de la classe «politiquement correcte» de Palestine, très fidèle à la loi juive et bien vue de la population. Plutôt à l'aise. Bien logé, avec une quantité d'amis et un emploi stable et lucratif.

Ce jour-là, Simon recevait Jésus. Il avait eu soin d'envoyer une petite carte d'invitation à ses connaissances: son associé en affaires, le percepteur d'impôts, un secrétaire haut placé de l'administration romaine, même à un lévite qui faisait du service au temple... et leur épouse.

On passe à table. Tout ce beau monde s'allonge, à la mode juive, autour des plats qui ont été disposés au centre de la table. Un copieux repas, ce soir: Jésus n'est pas n'importe qui.

Dès le début, une grande fille s'approche. Brune, au regard triste, avec de longs cheveux noirs qui lui descendent jusqu'à la taille. Elle porte un vase de parfum. Son entrée – c'est la prostituée du coin – a échappé au regard de Simon.

En moins de temps qu'il en faut pour le dire, la Madeleine se jette en pleurs aux pieds du Prophète; elle les embrasse, les arrose de ses larmes, les couvre de parfum. Elle les essuie de ses cheveux avec tendresse et affection.

Jésus n'a pas bronché. Couché juste à la droite de Simon, il a bien vu que son hôte se pose des questions. Il se penche vers lui et lui glisse à l'oreille, assez fort pour être entendu des autres: «Simon, ça te surprend? Laisse-moi te dire quelque chose. Tu vois cette femme. Je suis entré chez toi et tu ne m'as pas versé d'eau sur les pieds; elle, au contraire, les a arrosés de ses larmes et les a essuyés avec ses cheveux. Tu ne m'as pas embrassé, à mon arrivée; elle, au contraire, n'a cessé de me couvrir de baisers.» Et se tournant vers la femme: «Tes péchés sont pardonnés. Retourne en paix chez toi, ta foi t'a sauvée.»

«Tu vois, Simon, poursuit Jésus, cette femme a beaucoup aimé parce que beaucoup lui a été pardonné.»

Les autres invités avaient assisté, muets, à la scène: qui donc était cet homme qui allait jusqu'à remettre les péchés?

La pécheresse se retira, calme, presque avec une certaine majesté. La joie dans le cœur et de la reconnaissance plein les yeux. Le repas se poursuivit jusque tard dans la soirée. Les convives posèrent des questions sur cette fille aux longs cheveux. À la fin, ils avaient compris: ce ne sont pas toujours ceux et celles qui semblent sans péché qui montrent le plus d'amour. Le Royaume des cieux est plus près qu'on ne le croit de ces madeleines de la rue.

La vie est difficile

Il ne faut quand même pas se le cacher: la vie est difficile. Voilà une vérité qu'un certain nombre de personnes ne peuvent accepter, pourtant.

Mais à partir du moment où nous la comprenons, où nous décidons de l'affronter et de la vaincre, toute la perspective change.

Si nous regardons la trajectoire de nos vies, si nous examinons la trame de chacune de nos journées, nous découvrons qu'elles sont parsemées de mille et une difficultés à surmonter, petites et grandes. C'est même dans cette confrontation que notre existence prend sa signification.

Celui ou celle qui a toujours pensé que la vie devait être facile, un chemin de roses ou une plage constamment ensoleillée, perdra son équilibre au moindre caillou sous ses pieds. Il sera immanquablement malheureux.

Quel désastre se prépare celui ou celle qui évite tous les passages ardus, qui succombe à la tentation de remettre à plus tard les échéances les plus pénibles. Qui n'accepte pas les rencontres compliquées d'aujourd'hui, en les remettant à demain, manque de courage, pour ne pas dire de sagesse. Pourtant, voilà deux éléments indispensables à notre évolution mentale et spirituelle.

Dans l'effort déployé pour résoudre les problèmes quotidiens, se bâtit une personnalité qui ne vivra pas dans la peur continuelle des situations difficiles. Une personnalité qui n'aura pas une vie irrémédiablement cassée au moment de faire face à l'inévitable.

La chrétienne, le chrétien pense à tout cela lorsqu'il médite sur la place et le sens de la croix dans sa vie.

Dans les rides de l'autre

Ils ont soixante ans. Ils ont vécu dans l'amour, élevé leurs enfants. Il faut le dire, ils ont réussi leur vie et ils en sont conscients. Fiers même.

Le temps de la retraite. Ils se retrouvent. Seuls. Seul et seule. Ils n'auraient pas cru le passage si difficile. Certains soirs, en sirotant leur café, ils laissent remonter à leur mémoire le temps de leur jeunesse: il était grand et fort, elle était belle et expansive. Aujourd'hui, ils n'ont plus à faire face à l'éducation de leurs jeunes, une œuvre exaltante dans laquelle ils ont investi le meilleur d'eux-mêmes. Une œuvre qui les unissait profondément, dans un amour visible à travers ces petits qui grandissaient et s'épanouissaient sous leurs regards attendris.

Ils sentent maintenant leurs limites. Les années ont creusé des sillons sur leur visage, jadis si resplendissant. La vieillesse s'en vient, ils le sentent.

La nuit, parfois, elle se réveille et, les yeux grand ouverts, elle entrevoit un vide. Son ami ne lui parle plus comme jadis. Le dialogue tourne court trop souvent. Alors surgit au fond de son esprit la phrase insidieuse: «On connaît des gens qui se sont séparés à soixante ans.» Ses paupières se mouillent.

Les années ont creusé des sillons sur leur visage.

Lui a beaucoup de mal à trouver son équilibre d'antan. Petit à petit, il a eu tendance à moins se confier. Le fait de se trouver plus souvent avec son épouse semble rétrécir l'espace de communication entre eux au lieu de l'élargir.

Ils souffrent. Ils soupçonnent la souffrance de l'autre. Ils n'osent se l'avouer.

Ils n'ont pas encore compris qu'une nouvelle exigence frappe à leur porte. Devant les premiers signes de l'usure, au déclin d'un certain nombre de choses, ils ont à apprendre à s'aimer dans la conscience de ce qu'ils sont. À travers ce qui est rupture, deuil du passé, souvenirs heureux et malheureux, événements vécus ensemble. Une nouvelle intimité à découvrir, avec l'assurance que rien n'est fini, au contraire, que tout peut recommencer puisque l'Infini approche.

Ce soir, elle a plongé son regard dans les rides de Pierre. Dans un éclair, elle y a vu cette longue montée accomplie côte à côte : les pleurs des enfants, les heures plus dures, le corps à corps avec la vie. Des rides gravées chez l'un et l'autre.

Elle a fondu en larmes. Elle est tombée dans ses bras pour lui confier ce qu'elle venait de saisir. Et l'un et l'autre, confondant leurs rides dans un même élan, se sont promis fidélité pour la nouvelle vie qui s'offrait pour eux... toute ouverte vers l'Infini.

J'ai lu mieux que ça

J'étais au comptoir de l'aéroport, juste avant de prendre mon avion. Un client arrive, tout essoufflé. Un homme d'affaires. Il dépose sa valise, fouille dans ses poches: «Je n'ai pas mon billet! Je l'ai oublié à l'hôtel, je m'en souviens: il est sur le bureau de ma chambre.» Nancy le contemple calmement.

Le regard du voyageur croise le mien. «Ce n'est pas mon jour!» Il commence à me débiter tous ses déboires, depuis le départ de Montréal: mauvais temps, rendez-vous manqués, etc. «Il fallait que ça se termine par cela: pas de billet!»

Je le toise avec une pointe de malice au coin des yeux. «Mais, il aurait pu vous arriver bien pire: votre avion aurait pu s'écraser. Au lieu de mourir, vous auriez pu rester en morceaux pour le reste de vos jours. Vos clients auraient pu vous mettre à la porte. Vous auriez pu perdre votre billet!»

Surpris, il me dévisage. «Monsieur, vous avez dû lire Jean-Marc Chaput pour avoir des idées aussi positives. – Non, j'ai lu mieux que cela.»

Et mon gars, avec l'aide de Nancy, téléphone à l'hôtel. Le billet se trouve bien dans la chambre.

L'homme va demander qu'on le lui envoie par taxi. «Laissez faire, monsieur, dit Nancy, avec son plus beau sourire, je passerai le prendre moi-même tout à l'heure.» Et elle lui prépare un laissez-passer. L'homme saute dans l'avion avec, au cœur, un petit peu du bonheur du Nord-Ouest.

J'ai lu mieux que ça! Je ne suis pas sûr que mon bonhomme ait saisi ma phrase. On s'accroche tellement, aujourd'hui, à toutes sortes de recettes, d'écrits, de formules, en mettant de côté l'enseignement qui a fait ses preuves: l'Évangile, par exemple.

Sans compter que j'avais raison. Si mon voyageur n'avait pas oublié son billet, il n'aurait jamais profité de la gentillesse et du sourire de Nancy: un rayon de soleil de chez nous!

Propos de table

La table de cuisine, ce coin de la maison, petit mais combien rempli de mystères et d'histoires. Un lieu de partage, de rencontre, de face à face aussi. On connaît les propos charmants du «Frédéric» de Claude Léveillé qui raconte les repas du dimanche midi: «Ça riait, discutait... mais papa nous aimait bien.»

Un lieu d'intimité par excellence. Où se revivent les événements de la journée, où les histoires fusent, les drôles comme les moins drôles. C'est là, parfois, que les distances sont plus cruellement ressenties, dans les regards froids au-dessus d'un potage qui refroidit, lui aussi.

Qui dira les cœurs gros des enfants qui découvrent, à table plus qu'ailleurs, que leurs parents ne s'entendent plus comme avant? Que les taquineries et les mots d'amour sont peu à peu disparus. Que s'est-il passé?

Et les éclats de voix et les rires et les chicanes des frères et des sœurs qui s'arrachent leur part du gâteau des anges, pour ensuite se pardonner, sous l'œil amusé de la mère qui n'en finit plus de «bourrer» ses petits. Mais ces jalousies, aussi, ces rancœurs, ces bouderies, ces départs brusques et courroucés qui créent un climat glacial, durable parfois.

Et ces réveillons de Noël et ces repas de funérailles et ces lourdeurs des départs et cette allégresse des retours!

La table, c'est tout cela. Carrefour du meilleur et du pire, auberge de la détente et de la suspicion, havre de paix ou d'inquiétude.

On n'invite pas n'importe qui à sa table. Le faire, c'est ouvrir le cœur de sa vie, son intimité. C'est faire d'un étranger un ami. C'est tailler une place un peu plus grande à l'amour au fond de soi-même.

Voilà pourquoi le Seigneur a inventé la table de l'eucharistie. Pour recevoir les étrangers et en faire des amis; pour réconcilier, dans un seul amour, ceux et celles qui s'affrontent trop souvent autour des tables d'ici-bas.

Sauront-ils de nouveau
vivre ensemble?

Seize décembre. Je viens tout juste de regarder les «Grands Reportages». L'histoire pénible d'une famille croate de Banja Luka et celle, non moins douloureuse, d'un foyer serbe de Knin. Knin est la capitale de la Krajina, que les Croates ont reprise; Banja Luka a été «purifiée ethniquement» par les Serbes. Croates et musulmans ont dû fuir. Les deux familles, croate et serbe, ont tout abandonné derrière elles: maison, souvenirs, amis, parents...

Il y a deux jours, le 14 décembre, la paix a été signée à Paris, à grand renfort de médias, en présence du président des États-Unis. Quelle paix?

Tout à coup me reviennent en mémoire et droit au cœur les images de ma visite en Croatie et en Bosnie, en avril 1994.

Je revois ces centaines de maisons éventrées, brûlées, mises à sac;

je revois ces églises rasées et ces crucifix profanés;

je revois ces vieux croates, jouant aux cartes, qui n'en finissent plus d'attendre;

126

je revois ce gamin débrouillard dans la rue d'Osijek, dont j'ai photographié le frais minois;

je revois sœur Angelita, cette petite religieuse au cœur d'or et aux jambes dégourdies qui me mène à son village, chez ses parents, blottis au creux d'une maison en ruine;

je revois ce réfugié de 50 ans qui me donne un chapelet que j'égrène religieusement, depuis, en pensant à lui;

je revois, dans la cour d'un monastère franciscain, les restes d'une bombe meurtrière;

je revois ces deux grand-mamans en pleurs qui voudraient bien retourner chez elles;

je revois, je revois, je revois tout cela et bien d'autres choses encore.

Sauront-ils pardonner et se pardonner? Pourront-ils vivre en paix de nouveau?

Je descends à la chapelle et je confie au Seigneur, qui sonde les reins et les cœurs, le soin de mettre un peu de baume sur les plaies endolories des Croates, des Serbes et des Bosniaques.

«Il a perdu la tête!»

L'Évangile rapporte un épisode qui ne peut manquer de nous faire sourire. Jésus se trouve dans une maison où il attire tellement de monde «qu'il n'est même pas possible de manger». Je dois vous confier que je trouve ce détail savoureux. On imagine les gens, affairés, tassés les uns sur les autres, se bousculant et se hissant sur la pointe des pieds pour voir le Maître. Résultat: même pas moyen de manger!

Arrivent des proches de Jésus, de vieilles connaissances de Nazareth, de vagues cousins. Ils voient le spectacle et surtout ils l'entendent. Ils laissent tomber les bras, découragés: «Franchement, il a perdu la tête!» C'est le mot à mot du texte de saint Marc.

Il faut dire qu'il y avait de quoi! Cet homme dans la jeune trentaine, ils l'ont bien connu: un adolescent comme les autres, un jeune charpentier galiléen. Et voilà qu'il se mêle de dire des choses qui sont loin d'être «politiquement correctes». L'autre jour, il a attaqué de front des scribes et des pharisiens haut gradés: l'affaire a fait du bruit. Il enseigne que la clef du bonheur – ses fameuses béatitudes – se trouve dans le détachement des biens, la pauvreté, les pleurs même et le mépris des hommes. Tout le contraire du bon sens!

On dit qu'il a commencé à guérir des malades. Il aurait même ressuscité un mort, mais cela, on ne le croit pas: on n'est quand même pas crédules à ce point!

Il a attiré une douzaine d'amis, des inconditionnels. Le plus difficile à comprendre, c'est qu'un grand nombre de personnes le suivent. La preuve: aujourd'hui, pas moyen de manger dans cette maison! Et semble-t-il, ce n'est pas la première fois. Il y a quand même des limites!

Une seule conclusion possible: «Il a perdu la tête.» Jugement un peu rapide, on le sait maintenant. Cet humble juif apportait à l'humanité des règles de vie et des voies vers le bonheur autrement plus efficaces que celles de ceux qui prétendent avoir la tête bien campée sur les épaules.

Une Église aux cinq continents

Ces dernières années, j'ai été appelé à voyager beaucoup. Durant six ans, j'ai été conseiller ecclésiastique de la CIDSE, organisme de coopération internationale dont le siège est à Bruxelles. Les réunions se tenaient quatre fois par année, dans les principales villes du monde occidental. L'organisme m'envoya aussi en mission spéciale au Viêt-nam, au Cambodge, en Thaïlande, à Hong-Kong. En août 1993, les évêques du Canada m'ont élu à la présidence de leur Conférence. À ce titre, je me suis retrouvé à Rome, en Europe orientale, en Asie, en Amérique latine. Comme vous pouvez l'imaginer, j'ai vécu des expériences d'Église peu communes. Des fastes de Saint-Pierre de Rome, je suis passé aux favellas de Rio ou aux taudis de Davao, aux Philippines. J'ai sauté des expériences pastorales de Rouyn-Noranda au nouveau printemps de la chrétienté tchèque. Du monde pacifique québécois, je suis tombé, complètement étourdi, dans les villages dévastés par la guerre en Bosnie.

Mais partout j'ai découvert la même Église de Jésus Christ. La nôtre, celle d'ici, qui nous rassemble dans une même foi au Fils de Dieu incarné, qui nous a ressuscités dans sa résurrection. Un Dieu fait homme qui nous unit dans une même espérance tenace, malgré les nuages qui assombrissent l'horizon de l'Église et de la société.

J'ai trouvé des hommes et des femmes complètement donnés à la cause du développement au Viêtnam. J'ai rencontré des missionnaires extraordinaires, partis du Québec pour prêter main-forte aux habitants de l'île de Mindanao, aux Philippines. J'ai admiré le courage de ces pasteurs et de ces laïques brésiliens qui, au service d'une paroisse de 116 000 catholiques ou au cœur d'une favella infestée de trafiquants de drogue, conservent l'espérance.

Et cela m'a convaincu que nous devons avoir un cœur largement ouvert à cette *Église aux cinq continents*. Nous n'avons pas le droit de nous plaindre de notre tâche; avec eux tous et toutes, nous devons garder *la joie de l'espérance*.

Et puis après?

Et puis après? Qu'on le veuille ou non, une question, la grande, peut-être l'unique, l'incontournable: celle de l'énigme de la condition humaine devant la mort. L'approche de Pâques est propice à cette réflexion. La question est lancinante pour beaucoup. Certains l'ont repoussée du revers de la main. D'autres s'étourdissent pour ne pas l'entendre. Mais – et il faut avoir accompagné des mourants et des mourantes pour le savoir – elle rebondit immanquablement, à l'un ou l'autre carrefour de l'existence.

La personne humaine ne peut se résigner à la destruction définitive, à la ruine totale, «six pieds sous terre». Tout ce qu'elle a en elle de meilleur, son intelligence, sa volonté, son amour s'insurgent contre l'absurdité d'une défaite irrémédiable. Tout ce qu'elle a tissé de liens, au cours de sa vie, tout ce qu'elle a entrepris pour s'accomplir frémit et résiste devant un chemin sans issue.

Et la question revient, tenace: est-il possible que tout débouche sur le noir, qu'il n'y ait aucune lumière au bout du tunnel?

L'Église, instruite par la Révélation divine, affirme que Dieu a créé l'homme et la femme pour une fin bienheureuse, au-delà des misères du temps. Il les a appelés à partager sa vie divine, dans une communion éternelle que rien ne pourra dissoudre. Il veut les faire participer à la victoire sur la mort, cette victoire que le Fils de Dieu, premier-né d'entre les humains, a acquise par sa résurrection.

Voilà la réponse de la foi à la question, la grande question. À l'angoisse bien compréhensible de tout humain devant son propre avenir. Cette réponse ouvre la possibilité de rester en communion avec nos sœurs et nos frères bien-aimés qui sont déjà partis...

C'est plus qu'une lueur d'espérance en ces jours bénis qui entourent la fête de Pâques.

TABLE DES MATIÈRES

C'est un «petit bonheur» 9

Un petit coup en avant, Nicolas! 12

Luc et Gerry 14

Il a tutoyé la mort 17

J'ai pleuré 19

De la danse et du tambour dans St-Pierre 21

En regardant mes arbres 24

Si tu savais, mon p'tit gars 26

Les prostituées entreront 28

Une fleur m'a conté son histoire 30

Sept chats sur dix 33

Je ne me demande pas si je suis capable 35

Papa, des amis, j'en ai en masse 37

«I am» 40

Petit espiègle de Pierrot 42

Ben 44

«Tu sais, brother...» 46

Un Noël qui chante 48

Une université de haut savoir 51

Que décidez-vous? 53

Une voix de baryton 55

Les pessimistes ont souvent raison 57

Quelques kilomètres dans ses mocassins 59

La gaffe d'un apôtre de Jésus 62

Dieu a créé les autruches 64

Ce cher Abraham 66

Le Paradis, aujourd'hui 68

Se dire qu'on s'aime 70

Pourquoi avez-vous peur? 72

Don pour don 75

Il n'y a pas de choses intéressantes 77

Un truc du Saint-Esprit 79

La lune en plein jour 82

Un conte 84

Les petites sœurs 87

Pourquoi prier puisque j'ai tant pleuré! 89

On vend des armes à nos bandits politiques 91

Sève de vie 93

Il élira le prochain pape 95

Joseph, 3 ans 97

Un Jean-Paul II taquin 100

Ça n'abîme pas l'estomac 102

Les qualités de ses défauts 104

Fantaisies sur glace 106

Les vacances de la tolérance 108

Ce n'était pas un homme, c'était un cœur 111

Des miettes de vérité 113

La fille aux longs cheveux 115

La vie est difficile 117
Dans les rides de l'autre 119
J'ai lu mieux que ça 122
Propos de table 124
Sauront-ils de nouveau vivre ensemble?.......... 126
«Il a perdu la tête!» 128
Une Église aux cinq continents 130
Et puis après? 132